ALLEDAAGSE W

Van Amity Gaige verscheen eveneens:

*Schroder*

Amity Gaige

# *Alledaagse wanen*

Roman

Vertaald door
Wim Scherpenisse en Mieke Trouw

Uitgeverij Unieboek | Het Spectrum bv, Houten-Antwerpen

Oorspronkelijke titel: *O My Darling*
Omslagontwerp: Dog and Pony
Omslagfoto: Charles Plante | Tetra Images | Corbis
Opmaak: ZetSpiegel, Best

ISBN 978 90 00 33022 5 | NUR 302

www.amitygaige.com
www.unieboekspectrum.nl

Agathon maakt deel uit van Uitgeverij Unieboek | Het Spectrum bv,
Postbus 97, 3990 DB Houten

Voor Tim

*Op aarde is de liefde op haar plaats;*
*ik weet voor haar nergens een beter thuis.*

– Robert Frost

# Deel 1

# Verjaardag

'Zeg het nou,' zei ze.

'Nee,' zei hij.

'Toe nou.' Ze lachte. 'Zeg nou gewoon wat het is.'

'Nee,' zei hij. 'Je moet raden.'

'Raden? Raden?' Ze had haar beide handen op haar hoofd gelegd. 'Ik hou niet van raden, dat weet je toch? Geef nou hier.'

'Ik wil dat je raadt,' zei Clark effen, en hij bleef het cadeau achter zijn rug houden. De jonge echtelieden, Clark en Charlotte Adair, stonden midden in hun keuken, die ze de vorige dag geel hadden geschilderd. Overal in huis stonden nog ingepakte dozen, want ze waren nog maar net verhuisd.

Clark zei het als terloops, maar zijn knieën knikten van de opwinding – er was vandaag iemand jarig. Het was een dag om de jeugd te eren, die hij zich herinnerde als een soort melkweg van snoep en verrassingen. Een dag om je net zo geliefd en aanbeden te voelen als toen je klein was, althans zo geliefd en aanbeden als híj zich had gevoeld, en helemaal te vergeten dat je volwassen was. Verjaardagen. Hij herinnerde zich de lichaamswarmte van zijn ouders achter zich als hij de gasten wenkte binnen te komen en niet in de regen te blijven staan. Clark was nog geen dertig, maar hij zou het weldra worden en wat hem tot nu toe aan het volwassen-zijn was opgevallen, waren de vele problemen die spontaan de kop opstaken, hoe innemend je je ook gedroeg. Het waren er te veel om op te noemen. Maar vandaag was er iemand jarig en op zo'n dag zette je dat allemaal van je af.

'Oké,' zei Charlotte schouderophalend. Ze deed twee stappen achteruit en bezag haar man met een vinger in haar mond. Ze leek opeens aardigheid in het spelletje te krijgen.

'Bloemen,' zei ze.

'Nee,' zei Clark, en hij signaleerde dat ze onmiddellijk opgelucht keek. 'Bloemen zijn voor gewone dagen. Vandaag ben jij jarig.'

'Wat heb je dan voor me gekocht?' Ze bloosde. Hij keek gebiologeerd naar haar bleke gezicht met de hoogrode wangen. Ze waren allebei heel lang en mager, als twee helften die bij elkaar hoorden. Maar Charlotte was bleek en blond, terwijl Clark met zijn donkere krullen en een vaag Arabische neus meer schaduwtinten vertoonde. Charlotte trok haar pink uit haar mond, die roze was geworden van het zuigen.

'Waarom grijns je?' vroeg ze.

'Verdomme,' zei hij, bijna tegen zijn zin. 'Wat ben je mooi.

Zo mooi als een kind. Verbijsterend. Je ziet eruit als een zevenjarige. Alsof je net een poos buiten hebt gespeeld.'

'Ik zou nooit meer een meisje van zeven willen zijn,' zei Charlotte.

'Nee, nee,' zei Clark snel. 'Ik bedoel van geest.'

'Ik zou nooit meer zeven willen zijn,' herhaalde Charlotte, 'zéker niet van geest.'

'Nou,' zei Clark, en hij schutterde achter zijn rug wat met het cadeau, 'ik bedoelde eigenlijk dat je er gelukkig uitziet. Ik zie je graag gelukkig.'

Charlottes blik daalde af naar Clarks navel. Haar gezicht werd ernstig. Ze streek met één vinger een sliert sluik blond haar uit haar ogen. Het leek alsof ze probeerde dwars door zijn lichaam heen naar het verjaarscadeau te kijken.

Ze keek op. 'Hopelijk heb je niet iets heel duurs voor me gekocht,' zei ze. 'Ik heb toch gezegd dat ik dit jaar niks duurs wilde. Nu met ons nieuwe huis...'

Het gemak waarmee Clark geld uitgaf was soms een strijdpunt, maar als hij er nu over viel dat zij erover was begonnen, zou dat een geheel nieuwe, bijkomstige ruzie opleveren. Er was vandaag iemand jarig. (Charlotte, maar deed het er in een huwelijk toe wie er jarig was?) Een dag om terug te denken aan de honger die je als kind had naar alles wat nieuw was, naar ieder woord en elke onvervalste ochtend. Hij voelde achter zijn rug aan het pak.

'Het is niks duurs,' zei hij.

'Oké,' zei ze, en ze keek naar het plafond. 'Geen bloemen dus, en niks duurs.'

Charlotte Adair vroeg zich af wat het in vredesnaam kon zijn. Een cadeau. Een verjaarscadeau. Plotseling betrapte ze zich erop dat ze geloofde dat die nietige cadeauverpakking iets prachtigs van een verlanglijstje van lang geleden bevatte – een harp, een pony, een kasteel. Ze werd duizelig van de gedachte. Ze kreeg het gevoel dat alles om haar draaide. Zij was het feestvarken. Het cadeau was voor haar. Ze deed haar ogen dicht en voelde de scheurende druk van een lach in haar borstkas. Maar op datzelfde moment schoten haar ogen weer open. Ze was bang om met haar ogen dicht te staan als een kind dat tot God bad. Ze keek achterdochtig om zich heen naar de vreemde nieuwe keuken. Toen keek ze naar het beschaduwde gezicht van haar man – amandelkleurige huid, mooie ogen. Nam hij haar soms in de maling?

'Laat kijken,' zei ze.

'Vergeet het maar,' zei Clark lachend. 'Als je het ziet, weet je het meteen.'

Ze deed een stap achteruit. Haalde diep adem. Natuurlijk nam hij haar niet in de maling. Hij vond het leuk om cadeautjes te geven. Hij hield van verjaardagen.

'Is het... weer zo'n beeldje?' vroeg ze.

Clark bevoelde het cadeau opnieuw. Het was geen beeldje, want dat beeldje had vorig jaar tot de nodige discussies geleid. Hij vond inmiddels zelf ook dat het een vreemd cadeau was geweest, iets wat beter bij een kind paste. Maar het had zo ontzettend veel op haar geléken, wilde hij nog steeds tegenwerpen, een porseleinen meisje dat haar opvallend lange haar uitwrong.

'Nee,' zei hij. 'Het is beslist geen beeldje.'

'Hé,' zei Charlotte, en ze keek hem flirterig aan. 'Heb je die ketting voor me gekocht die ik laatst bij Shand zag? Ben je stiekem teruggegaan om hem voor me te kopen?'

Het duurde even voordat Clark zich herinnerde dat ze samen een ketting hadden gezien.

'Nee,' zei hij. 'Geen ketting of armband of iets in die geest.'

'Oké,' zei Charlotte. 'Wil je me het cadeau dan nu geven?'

'Kom op,' zei Clark. 'Gebruik je fantasie.'

Zodra hij 'fantasie' had gezegd, wist hij dat hij het verkeerde woord had uitgekozen. Vanaf het moment dat ze aan de verhuizing waren begonnen, was Charlottes gebrek aan fantasie een probleem geworden. Ze staarde naar de lege vertrekken, knipperde met haar ogen en was niet in staat ze ingericht voor zich te zien. Clark had het gevoel dat alles bij haar dezelfde vaste plek moest krijgen en op de vertrouwde manier gebruikt moest worden. Ze was niet in staat tot dromen, tot raden. De voorafgaande week was hij zo ver gegaan haar 'saai' te noemen, en om te bewijzen dat ze dat niet was had ze alles weer uit de keukenkastjes gehaald en tegen de muur stukgesmeten. Behalve onder andere al het porselein van zijn moeder had ze ook het verjaarsbeeldje kapotgegooid, en daarom was het van haar ook niet zo slim om weer over dat beeldje te beginnen, dacht Clark.

Charlottes blik verduisterde. Ook zij herinnerde zich het incident met het porselein. Ze zag de witte borden als verwensingen door de lucht vliegen. Ze hadden wel vaker ruzie

gehad maar nooit zo erg; er waren nooit eerder dingen kapotgegooid. Nu was hun eerste huis ingewijd met een stort-
regen van porselein. Ze voelde zich heel schuldig, maar ook
impliciet opnieuw aangeklaagd. Ze haalde diep adem. Ze
probeerde in gedachten te houden dat ze jarig was, dat het
een dag was om je plaats als middelpunt van de wereld op
te eisen voordat je weer opzij moest gaan voor een van de
andere zes miljard mensen, een dag om je kosmisch mooi
en begeerd te voelen, en ze probeerde dat dromerige dichte-
ogengevoel van het jarige kind weer op te roepen.

Maar in plaats daarvan zei ze, niet in staat haar eigen
woorden tegen te houden: 'Is het een touw om me te ver-
hangen?'

Plotseling buitelden de problemen over elkaar heen:
Charlottes nogal macabere gevoel voor humor, haar onver-
mogen om zich sportief te gedragen en, veel rampzaliger,
de recente, afschuwelijke dood van Clarks moeder, die zelfmoord had gepleegd.

Charlottes ogen vlogen open toen tot haar doordrong wat
ze had gezegd.

'Grapje,' zei ze. 'O god. Het was een grapje. Ik dacht er
niet bij na. Ik bedoelde er helemaal niks mee.'

Clark stond nog steeds met het verjaarscadeau achter zijn
rug. In zijn ogen flakkerde even iets op, maar aan zijn gezicht veranderde niets.

'Ga je nou nog echt raden of niet?' vroeg hij.

Charlotte keek naar de grond. 'Ik héb al echt geraden,
Clark,' zei ze zachtjes.

'Maar twee keer? Is dat alles wat je kunt verzinnen?'

'Mag ik het cadeau niet gewoon hébben?' vroeg Charlotte.

'Maar het raden is juist het leukste,' zei hij. 'Zeg...' Het cadeau, dat slordig in gestreept papier was verpakt, hing nu naast hem. 'Je geniet helemaal niet van je verjaardag, Charlotte. Jij wordt altijd verdrietig op die dag. Ik wilde het dit jaar nou eens leuk maken.'

Ze stonden even zwijgend tegenover elkaar. Het was waar, dat van Charlotte en haar verjaardagen. Ze deed ontzettend haar best het feestvarken te zijn, maar ze hield het niet vol. Buiten liet de hond weer eens zijn langdurige, diepbedroefde gejank horen. Ze hoorden het geluid van zijn ketting die heen en weer sleepte over het terras. Clark keek naar de grond en Charlotte uit het raam. De haagdoorn schudde zijn naakte, nijdige takken.

'Februari,' zuchtte Charlotte. 'Waarom moest ik geboren worden in de droevigste maand van het jaar?'

'Zie je?' zei Clark. 'Daar heb je het al, je wordt verdrietig.'

'Voor geadopteerde kinderen verzinnen ze vaak gewoon een verjaardag. Ik bedoel, soms weten ze de datum niet. Dus misschien ben ik wel helemaal niet op deze dag geboren. Ik heb mijn geboortebewijs nooit gezien. Er kan bij de adoptie best met de papieren zijn geknoeid. Misschien zaten ze nog niet aan hun quotum voor februari.'

'Heel goed.' Clark maakte een gebaar met zijn schouder. 'Het cadeau heeft iets te maken met de tijd van het jaar. Snap je? Je bent warm.'

'Een regenjas?' Charlotte kneep haar ogen half dicht.

'Nee,' zei Clark, en hij verstopte het cadeau weer achter zijn rug. Op dat moment besefte hij dat hij een regenjas had moeten kopen. Dat zou veel beter zijn geweest dan het stomme cadeau dat hij wel had gekocht. Zijn armen deden pijn omdat hij het pak nu al zo lang achter zijn rug hield. Maar het leek nu te laat om het haar alsnog gewoon te geven.

'O-o-o,' zei ze. 'Nou weet ik het.'

Er verscheen een glimlach op Charlottes gezicht, en heel even voelde Clark zich vreselijk schuldig. Ze raadde dat het kaartjes waren voor *Giselle*, het ballet dat in een naburige stad werd opgevoerd en waarvan ze een paar keer had gezegd dat ze er wel heen wilde, maar dat was fout. Totaal niet uit het veld geslagen raadde ze verder, een sjaal en een paraplu, allebei fout maar wel allebei verband houdend met de tijd van het jaar. Ze raadde nog een aantal plausibele dingen, en Clark merkte op dat dat stuk voor stuk betere cadeaus zouden zijn geweest dan die stomme keus van hem. Hij had er lang en diep over nagedacht welk cadeau hij zijn vrouw dit jaar zou geven, en toch was geen van die plausibele dingen in hem opgekomen. Hij luisterde, keek naar de keukenmuren, die fris roken en nog nat waren van de verf, en had pijn in zijn armen.

Een konijn sprong vanuit de heg de achtertuin in. Charlotte keek ernaar.

'Is het een konijn?' vroeg ze.

Toen begon ze in het wilde weg te raden en Clark hield haar niet meer tegen: een gehaktmolen, een garde, een mie-

reneter, een cheeseburger, een schapenhoeder, een koorts-
thermometer, een muis met een IQ van 185, een purper hart
van amarante, een onbekende outsider, een vogel in de hand,
een brandende braamstruik, een vriendelijk woord, een briljant idee, een beschermengel, het eeuwige leven.

'Jezus,' zei ze, en ze begon te huilen.

Clark liep naar de provisiekamer en legde het pak op de
bovenste plank. Ze waren vergeten die kamer ook te schilderen. Hij keek naar het haveloze behang.

'Ik geef het je later wel,' zei hij hardop in de provisiekamer.

Charlotte ging aan de ontbijttafel zitten en Clark naast
haar. Hij gaf haar een tissue. Ze zeiden een poosje niets.

'Vanaf het moment dat we hier zijn gaan wonen hebben
we ruzie,' zei Charlotte. 'Vroeger nooit.'

'Goed, laten we dan geen ruzie meer maken,' zei Clark.
'Het komt van de stress.'

'Ja, we hebben heel veel stress gehad. De begrafenis. Het
uitzoeken van de oude spullen. De verhuizing. Allemaal tegelijk.'

'Inpakken, uitpakken. Schilderen.'

'Borden stukgooien. Al dat werk.' Charlotte glimlachte
bedeesd en begon toen weer te huilen.

'Niet huilen,' zei Clark teder, en hij pakte haar hand.

'Waarom niet?' zei ze.

'Ik weet niet,' zei hij. 'Je mag eigenlijk ook best huilen als
je wilt.'

'Ja, omdat ik jarig ben,' zei Charlotte met een flauw lachje.

'Zo is het,' zei Clark. 'Je mag huilen zoveel je wilt omdat

je jarig bent. Als je dat maar vaak genoeg doet, heb je op een dag genoeg voor een verjaardagsrivier.'

'Een rivier, helemaal van mij,' zei Charlotte.

Clark speelde met de servetstandaard die ze net hadden uitgepakt. Hij bewoog het horizontale staafje naar boven en naar beneden. Hij deed alsof hij de gillende servetten onthoofdde totdat hij haar uiteindelijk aan het lachen kreeg.

'Nou, Charlie,' zei Clark. 'Eén ding is zeker: je hebt beslist je fantasie gebruikt.'

Charlotte lachte weer en droogde haar tranen met een servet. Daarna keken ze samen naar buiten, waar vochtige februariwindvlagen als een leger heksen door de kleine tuin trokken.

# Op jou

Nu was ze dood. Maar lang geleden, toen Clark nog klein was, had zijn moeder hem de wereld uitgelegd. Ze had uitgelegd hoe alles werkte, wat de geheimen waren. Zo werd er (volgens Vera Adair) bijvoorbeeld toezicht op het verstrijken van de tijd gehouden door een dwerg die ergens in de buurt van Las Vegas een schuur in de woestijn bewoonde. 's Nachts hees die de maan omhoog aan het touw van een katrol. 's Ochtends liet hij uiteraard de zon opgaan. En het weer? Het weer werd bestuurd door een reeks toverdieren die in de bergen woonden.

Het waren kinderverhalen, maar ze bleef ze vertellen. Zelfs toen Clark groter werd en begreep dat zijn moeder het allemaal had verzonnen, dat bijna niets van wat ze zei waar was, zelfs toen ze hem hadden verteld dat ze niet goed bij haar hoofd was, zelfs toen ze om dat te onderstrepen een eind aan haar leven had gemaakt, bleef Clark zich het weer op precies dezelfde manier voorstellen. Als het sneeuwde, dacht hij aan de zwarte winterbeer die op een rots stond en de sneeuw uit zijn tas strooide. Minstens één keer per jaar, als het voorjaar werd, stelde hij zich het lentelammetje voor dat uit de bergen naar beneden kwam huppelen om de rozenknoppen te brengen.

Nu geloofde Clark niet dat die verhalen waar waren; hij hield er alleen van omdat ze hem vertrouwd waren. Hij wist dat hij de zoon van een gekkin was. De jaren voor haar dood waren het ergst geweest. Net als zijn vader en zijn zus huilde hij niet op haar begrafenis. En nu gedroegen ze zich allemaal alsof haar dood veel langer dan drie maanden geleden was. Maar in Clarks hart leefden haar waanzinnige, fantastische verhalen krachtens een soort onschendbaar verdrag voort, zoals gesneuvelde, knappe soldaten voortleefden in de harten van hun inmiddels bejaarde verloofdes. Zelfs nu in deze eerste maartmaand in zijn eerste huis de ochtend roze aanbrak en het licht over hem uitgoot, bleef dat gevoel van toverij, van fantastische onvoorspelbaarheid, dat de verhalen van zijn moeder ooit hadden opgeroepen. Hij miste haar. Natuurlijk miste hij haar. En hij was ook opgelucht.

De wind viel stil boven het huis en de winternaakte bomen ratelden voor het slaapkamerraam. Ik moet eens naar dat raam kijken, dacht Clark bij zichzelf. De gedachte vervulde hem met trots: hij zou naar dat raam moeten kijken. Wie anders dan hij, de heer des huizes? Clark ademde in en glimlachte. Hij kwam half overeind op het kussen en keek naar het gezicht van zijn vrouw.

'Ben jij ooit verliefd geweest?' vroeg hij.

Charlotte grijnsde slaperig. Ze trok haar onderarm over haar voorhoofd. Haar lange haar, dat de kleur van suikermais had en sluik was, lag ordeloos op het kussen. Ze had een kleine mond en lachte opeens haar onregelmatige tanden bloot. Hij zag de minuscule ribbeltjes aan de onderkant ervan.

'Ik bedoel,' zei Clark, 'behalve op mij.'

'Wie zegt dat ik verliefd op je ben?' zei Charlotte.

'Dat weet ik niet. Ben je dat?'

'Nee, zo'n vrouw ben ik niet.'

Clark kietelde haar vlak onder haar arm en ze begon te kronkelen. 'O nee?'

'Ik slaap,' zei ze. 'Ik slááp. Moet ik soms een bordje aan mijn neus hangen?'

'Hoe zat het met die gast die in het leger ging? Die je bij een drive-in-restaurant ten huwelijk vroeg. Soldaat Hand-in-je-broek.'

'Die?' zei Charlotte, en ze rolde met haar ogen. 'Nee, we waren niet verliefd. We probeerden alleen toevallig allebei in dezelfde richting weg te vluchten voor de liefde.'

Clark glimlachte. Omdat het zijn eerste lenteachtige ochtend in hun nieuwe huis was, en omdat zijn mooie jonge vrouw hem had geplaagd en warm naast hem in bed lag, en omdat hij bezig was alles te boven te komen wat er was gebeurd, voelde het als de eerste glimlach van zijn leven. Alles was mogelijk. Alles was weer nieuw. De lente was het hoopvolste jaargetijde, en weldra zou de aarde rondom het nieuwe huis in bloei staan – wie weet wat voor bloemen er in de grond begraven lagen – en misschien zou Charlotte nu eindelijk een tuin hebben. Hij was er trots op dat dit hun eigen huis was. Hij wist zeker dat uit de grond eromheen een vlekkeloze tuin zou oprijzen. Zo hoopvol en jong voelde hij zich.

Het huwelijk, dacht hij terwijl hij het haar van zijn vrouw aanraakte. Het huwelijk, wat is dat? Waarom beginnen mensen eraan? Waarom pakt iemand tijdens een zomerse avondwandeling een meisje bij haar schouder om haar naar zich toe te draaien en ten huwelijk te vragen? Misschien is dat wel het extreemste wat iemand kan doen. Je kunt als man van gebouwen springen en met stieren vechten, maar diep vanbinnen weet je dat dat allemaal in het niet valt bij een meisje naar je toe draaien en haar vragen met je te trouwen. Het was iets onbedwingbaars. Iets extreems. Het huwelijk is de enige straf die zwaar genoeg is voor de misdaad liefde. Clark lachte in zichzelf terwijl hij met zijn vingers door Charlottes haar ging. Het huwelijk is de enige straf die zwaar genoeg is voor de misdaad liefde, dacht hij. Maar natuurlijk voelde het helemaal niet als een straf. Nu hij drie jaar getrouwd was, voelde het zelfs niet meer extreem. Slechts een enkele keer besefte hij 's morgens, als hij naast haar wakker werd, wat een avontuur het was. Vóór hen was het al ontelbare malen gebeurd, en toch waren ze nu de eersten.

Charlotte rolde op haar zij, legde haar wang op haar arm en keek naar hem. Ze rook een beetje naar snoepjes. Er hingen slaapkorreltjes in haar wimpers. Haar donkere ogen waren zacht en verzadigd van dromen. Ze was verschrikkelijk mooi in zijn ogen.

'En jij?' vroeg ze. 'Jij bent vast al een miljoen keer verliefd geweest. Noem eens een getal, doe er maar een gooi naar.'

'Niet een miljoen,' zei Clark. 'Drie of vier.'

'Drie of vier miljoen?'

'Nee,' zei Clark lachend, en hij leunde achterover tegen het hoofdeind. 'Drie of vier keer. Ik ben wel verliefd geworden op groepen vrouwen, maar die tellen maar voor één.'

'Groepen? Etnische groepen?'

'Nee, nee. Ik werd als kind verliefd op de vriendinnen van mijn zus. Ze oefenden kustechnieken op mij. Soms ging het verder dan kussen. Dat heb ik wel eens verteld. Janine Hoffstead. Kiki Zuckerman. O, Kiki,' zuchtte Clark. 'Wat was ik toen verliefd.'

'Je was niet verliefd,' zei Charlotte, en ze klakte met haar tong. 'Je wist niks van liefde. Je was een kind.'

'Dan ben ik dat nog steeds. Want ik weet nog altijd niks van liefde. En ik ben nog altijd verliefd.'

Charlotte wendde haar hoofd af, maar hij merkte dat ze glimlachte.

'Op wie?' vroeg ze.

Ze rolde op haar rug, geeuwde en balde haar vuisten met de vingers om de duimen. Ze kromde haar rug en hij zag haar huid door haar dunne nachtpon van roze kunstzijde heen. Ze strekte eerst het ene volmaakt witte been en daarna het andere. Haar huid was heel bleek en op de polsen en knieën bijna doorschijnend. 's Zomers droeg ze een gerafelde strooien hoed, bleef ze zoveel mogelijk in de schaduw en dook ze vlug als kwik weg voor de zon.

'Op jou,' zei hij.

De winterbeer gromde in zijn slaap. De dwerg in de woestijn liet een zandkorrel vallen. Het lentelam sprong door de strakblauwe lucht. Buiten was de hemel helder, nieuw, nog ongerept.

'Zeg,' zei Charlotte, 'ik was van plan geroosterd brood met jam te maken. Je vader heeft bramenjam gestuurd.'

Clark aarzelde. Hij keek even naar de muren, maar zijn blik schoot veel verder weg.

Na een poos zei hij: 'Daar wil ik niet van eten. Waarschijnlijk is die jam door zijn vriendin gemaakt. Die ouwe heks.'

'Je bedoelt mevrouw Flanigan,' zei Charlotte.

'Jawel, mevrouw Flanigan,' antwoordde hij duister. 'De bom onder het huwelijk van mijn ouders.'

'Clark,' zei Charlotte. 'Doe dit alsjeblieft niet.'

'Je vroeg of ik zin had in haar bramenjam.'

'Ja, maar hou erover op. Dat huwelijk was lang voordat mevrouw Flanigan ten tonele verscheen al kapot. Dat weet je best.'

Clark staarde naar het plafond. Hij luisterde niet meer. Hij wist het niet.

'Als je het nou over liefde wilt hebben,' zei hij, 'over twee mensen die verliefd zijn, denk dan aan mijn ouders. Lang geleden. Vóór mevrouw Flanigan. Vóór mij. Toen ze met z'n tweeën in een kippenhok aan de Rio Grande woonden, vlak na hun trouwen. Toen ze zo oud waren als wij.'

Charlotte kwam overeind en tastte naar haar ochtendjas.

'Ik voel een ruzie opkomen,' mompelde ze. 'Volgens mij heb ik een ruzie onder de leden.' Ze keek glimlachend over haar schouder, maar Clark lag nog steeds naar het plafond te staren.

Charlotte had het verhaal over het kippenhok inmiddels al een keer of vijf, zes gehoord. Het deed haar elke keer weer pijn. Niet alleen omdat hij hetzelfde verhaal telkens opnieuw vertelde zonder dat hij leek te beseffen dat ze het al kende, maar ook omdat ze wist dat het niet waar was. Nou ja, het was zo'n Vera-verhaal. Het bevatte wel ware eleménten – een malariazomer die ze met een groep van de kerk in Texas had doorgebracht. Voor de waarheid moest je bij Clarks vader zijn, in de keuken, bij een glas bourbon. Vanaf die plek had Charlotte bij menig bezoek naar haar knappe, kersverse echtgenoot zitten kijken, die lachend en met zijn armen om zijn knieën op een minuscuul krukje in de huiskamer zat terwijl een vrouw in een witte nachtpon hem op haar breedsprakige, toneelmatige manier toesprak, met overdreven gezichtsexpressies alsof ze voor een grote zaal speelde, en dan dacht Charlotte: ja, hij houdt van haar, maar hij gelóóft haar toch hopelijk niet.

'Ik bedoel, het was ongehoord,' praatte Clark intussen

verder, 'twee gringo's daar aan *La Frontera*. Moet je je voorstellen, ze hadden een ara als huisdier. Ze noemden hem...'

'Julito,' fluisterde Charlotte, en ze keek naar haar voeten.

'Julito. Mijn vader hielp de mensen daar 's avonds met het bouwen van een kerk, bij het licht van duizend kaarsen. 's Avonds laat vielen ze in slaap met hun blik op de sterren die door het kippengaas schenen...'

'Clark,' zei Charlotte. 'Wil je geroosterd brood met jam? Dan maak ik dat voor je. Ik zal andere jam gebruiken dan die van mevrouw Flanigan.'

Maar toen ze naar hem keek zag ze dat hij ver weg was, verzonken in zijn valse herinneringen, op een plek waar hij steeds vaker zijn toevlucht zocht. Wat was hij de laatste tijd abstract geworden, bedacht ze, wat was hij moeilijk te bereiken, terwijl ze eerder juist zo van zijn nabijheid had gehouden, van zijn altijd-voor-alles-in-zijn – hij kon een perzik uit zijn zak pakken en ter plekke neerploffen, en dan waren ze ineens aan het picknicken. Hij was de spontaanste persoon die ze ooit had ontmoet, altijd op zoek naar pleziertjes, altijd in de startblokken. Ze had zich hevig door die eigenschap aangetrokken gevoeld, want zelf was ze afwachtend, sceptisch, en werd ze vaak door een grote passiviteit bevangen als ze werd geconfronteerd met iets leuks dat ze graag wilde hebben. Nu lag hij naast haar zachtjes in zichzelf te lachen. Zijn hoofd was als een donkere parel in het kussen ondergedompeld, de zwarte krullen werden platgedrukt tegen zijn slapen. Zijn grote grijze ogen, haast astraal in hun grijsblauwheid, stonden zo verrukt dat ze bijna zijn blik volgde om te zien waar hij naar keek. Maar natuurlijk keek hij nergens naar. Hij zat in een herinnering. Een herinnering aan iets wat nooit was gebeurd.

Charlotte voelde haar pols versnellen. Ze voelde zich in de steek gelaten in het hier-en-nu. Ze wilde niet alleen worden gelaten in het hier-en-nu, in dit nieuwe huis. Het huis kwam haar plotseling hol en groot voor, onmogelijk te meubileren. Ze trok de ochtendjas over haar schouders en keek uit het raam naar de kleine achtertuin.

'Ik moet vandaag eens in de tuin gaan werken,' zei ze. 'Dingen planten.'

'Mijn ouders spraken de taal niet,' zei Clark. 'Maar ze leerden min of meer antropologisch hoe ze alles moesten aanpakken. Mijn moeder leerde melk maken uit niets. Zoals de Mexicanen melk maakten.'

'Drinken de Mexicanen dan geen melk die uit koeien komt?' vroeg Charlotte aan het raam. 'Zoals iedereen?'

Clark stak een belerende vinger op. 'Ze keek heel goed, snap je. En ze luisterde. Ze had het geduld van een monnik. En in het schooltje bij de kreek leerde ze de kinderen William Blake opzeggen. "Vele, vele jaren geleden, in een koninkrijk aan zee"...'

'Maar jij was daar niet bij, Clark,' zei Charlotte. 'Je weet niet wat er tussen hen gebeurd is. Je kunt niet zeggen hoe het huwelijk van een ander echt is. En die regels zijn trouwens niet eens van Blake.'

En toen reciteerde Clark uit het niets de rest van het gedicht, met zijn handen met de lange vingers gevouwen op zijn borst: '"... Daar woonde een deerne, u kent haar wellicht", enzovoort, enzovoort.'

Charlotte greep de lakens vast.

'Jezus, Clark,' zei ze. 'Als het allemaal zo fantastisch was, waar was je vader dan toen je moeder stierf?'

Er ging een schok door Clark heen. Zijn ogen stelden zich scherp. Hij was er weer. Hij staarde kil naar het plafond.

'Ja, lekker, geroosterd brood met jam,' zei hij. 'Gebruik de jam van mevrouw Flanigan maar.'

Charlotte ging weer op bed liggen en liet haar hoofd hangen.

'Verdomme,' zei ze.

Het speet haar dat ze dat over zijn moeder had gezegd. Ze voelde zich beter, maar het speet haar toch dat ze het had gezegd. Ze keek naar Clarks rijzende en dalende borstkas.

'Ach, ik ben gewoon jaloers,' zei ze, en ze rolde tegen hem aan en kietelde zijn tepel. 'Ik ben een wees. Ik heb niet allemaal van die fijne verhalen uit mijn jeugd zoals jij. Familielegendes. Sterrenlicht. Kaarslicht.'

Clark zei niets. Hij bleef naar het plafond staren.

'Het spijt me heel erg,' zei ze. 'We hadden gezegd dat we geen ruzie meer zouden maken.'

Toen hij nog altijd niets zei, mompelde ze: 'Alsjeblieft, Clark. Ik zweer dat ik nooit meer zo over haar zal praten. Ik zal er nooit meer over beginnen.'

Hij knipperde traag met zijn ogen en zijn gezicht leek zich te ontspannen. Hij had lange, donkere wimpers, fijn en dun als de tanden van een visvork.

'Misschien had je wel gelijk,' zei Charlotte. 'Misschien waren ze echt verliefd.'

'En misschien had jíj wel gelijk,' zei hij, en hij wendde zijn hoofd af. 'Misschien was ik nog maar een kind.'

# Tecumseh

Clarks moeder had geen briefje achtergelaten toen ze zelfmoord pleegde. Misschien was het wel de enige keer in
haar hele leven dat ze niet genoeg had gezegd. Wat ze wel
achterliet, waren een koffer vol half ingevulde kruiswoord-
puzzels, een altviool, een haarborstel, tweehonderdtwee
aquarelstudies van dezelfde schuur, drie kasten vol mooie
zijden jurken met schroeiplekjes van haar Turkse sigaret-
ten, een tiental witte nachtponnen, een kapotte seismograaf,
een laatste zweempje valeriaanwortel, een laatste echo van
haar woede-uitbarstingen, een stuk taart waar nog een
vorkje in stond (het laatste wat ze ooit had geproefd), een
paar zware glazen asbakken, haar porselein en een hond.

Tecumseh was een intelligente, ietwat droefgeestige husky met een zwarte snuit en zachtgrijze flanken. Hij had een
ongelijkmatige vacht en een uiterst behoedzame, zijwaartse
tred, als een krab. Zijn ogen hadden de tint van ijskappen –
bijna wit, bijna de kleur van niets. Al zo lang iedereen zich
kon herinneren sjouwde de hond als een vermoeide butler

achter zijn bazinnetje aan terwijl ze in haar witte nachtpon
door het huis liep. Clarks vader had de pest aan het beest,
en misschien was dat gevoel wel wederzijds. Het lichaam
was natuurlijk ontdekt door de hond. De husky was zittend
naast het lichaam aangetroffen. De dagen na de zelfmoord
hadden de oude man en de oude hond samen in het on-
herstelbaar aangetaste huis gewoond en elkaar in de gangen ontlopen. Tijdens de koffie na afloop van de begrafenis
zat de hond zo smartelijk in de achtertuin te janken dat de
gasten moeite hadden zich op de reden voor hun komst te
concentreren. Ze leken zich allemaal af te vragen of ze eigenlijk wel verdrietig genoeg waren.

Alle pijnlijke aspecten van de begrafenis stonden Charlotte nog helder voor de geest. Ze herinnerde zich de hond
– onverzorgd, in alle staten – in de achtertuin. Ze hield niet
van honden, maar om de een of andere reden nam ze de
taak op zich om naar buiten te gaan en het dier te kalme-
ren, dat met zijn gejank iedereen op de zenuwen werkte.
Als een politieagent was ze heel langzaam en met uitgestoken handen naar hem toe gelopen, maar zodra ze te dichtbij kwam, schoot hij op haar af en probeerde hij haar te bij-
ten. Zijn ketting stond strak als een staaldraad.

Toch dwaalden haar gedachten automatisch af naar de
loyaliteit van het beest toen ze op die koude dag eenzaam
en in haar dunne jurk terugliep naar het terras. De over-
ledene had Charlotte namelijk niet gemogen en had haar
nooit enige warmte getoond. Waarom moest ze dat nog ont-
kennen nu haar schoonmoeder er niet meer was? Vera was

dood. Dat was heel erg, maar toen Charlotte rillend in haar eentje op het terras van Vera's huis stond, dacht ze terug aan alle rare, ergerlijke, buitensporige verzoeken waarmee Clarks moeder hen 's avonds laat had lastiggevallen, al die pogingen om Clark van Charlotte af te troggelen terwijl Charlotte alleen maar aardig gevonden had willen worden. En Vera moest toch hebben beseft dat ze haar zoon ooit aan een ander zou kwijtraken. Nu was ze hem nota bene definitief kwijt door haar eigen daad! Terwijl Charlotte had staan huiveren in de kou, had ze witte wolkjes uit de bek van de hond zien komen en zich afgevraagd in welke zin ze hier nodig was. Het was een afschuwelijke situatie. Zelfmoord. Haar arme, lange echtgenoot, die zich nu in stille kamers vooroverboog naar gasten die hem wilden kussen. Ze wenste dat niemand toe. Toch was ze opgelucht, al schaamde ze zich daarvoor. De dood van haar schoonmoeder was als de ondergang van een bizarre, machtige beschaving waarvan ze nooit deel had uitgemaakt. Maar wat moest je met de schaamte? In welk donker hoekje stopte je die weg?

De volgende dag had de zon geschenen en waren ze samen bij zijn ouderlijk huis weggereden. Ze waren tweeënhalf jaar getrouwd en pas op dat moment kreeg Charlotte het gevoel dat ze aan het begin stonden, dat ze voor het eerst met hun tweeën de wijde wereld in trokken, alsof ze op huwelijksreis gingen. Naast haar zag Clark er kalm en volwassen uit in zijn begrafenispak. Hij staarde dapper voor zich uit naar de weg. Ze legde een hand op zijn dij. Ze wilde zeggen dat ze van hem hield, maar in haar ogen moest je zulke woorden meestal op een bepaalde manier inleiden of inkleden. Je zei niet zomaar 'Ik hou van je' als je in de auto zat, een busrit maakte of het over iets anders had. Of als je ergens in de rij stond. Of als je slaperig was, uit je mond stonk of last had van winderigheid. In de januarizon knipperde ze met haar ogen. Wat zei het over haar dat ze als volwassen vrouw nog zoveel moeite had met die woorden?

Ik... ik...

Ze verschoof op haar stoel en keek over haar schouder naar het huis van haar schoonmoeder. Ze wilde dat huis vol waanzin en intens verdriet voor de allerlaatste keer kleiner zien worden, het nog één keer vaarwel zeggen, maar toen keek ze opeens recht in de harige snuit van Tecumseh. Ze gilde.

'Clark!' riep ze. 'Je moeders husky zit achterin.'

Clark keek over zijn schouder naar het dier. 'Dat weet ik,' zei hij. 'Brave hond.'

'Maar ik ben allergisch voor honden!'

'Niet waar,' zei Clark.

'Ik bedoel, ik hou niet van honden.'

Clark keek glimlachend in de achteruitkijkspiegel, alsof hij het vervelend vond dat de hond moest horen wat er over hem gezegd werd. 'We zullen hem moeten houden,' zei hij.

'Wát?' Charlotte keek weer achterom naar het dier. 'Waarom kunnen we hem niet naar het asiel brengen en een goed baasje voor hem zoeken? We hebben veel te weinig ruimte in ons appartement.'

'We gaan een huis kopen.' Uit zijn borstzak haalde Clark de cheque die hij de dag daarvoor van de notaris had gekregen. In het zonlicht was het papier hagelwit. 'We kopen dat huis uit de krant met het geld dat mijn moeder me heeft nagelaten.'

Charlotte zweeg. Ze wilde heel graag een huis, maar ze was geschokt. Sinds ze Clark kende, had hij nog nooit zoveel doortastende, belangrijke beslissingen achter elkaar genomen. Ze keek opzij naar zijn profiel. De bovenkant van zijn zwarte, krullende haar plakte aan de vilten dakbekleding.

'Luister,' zei Clark na een tijdje. 'Ik heb bijna niets van haar meegenomen. Geen aquarellen, geen capes, niets. Ik heb de zorg voor al die spullen aan Mary overgelaten. Ze hebben de rest in de achtertuin gezet. In de áchtertuin.' Hij keek naar Charlotte, en op dat moment zag ze een onmiskenbare bleekheid in zijn ogen die ze nooit eerder had gezien. Op de achterbank geeuwde Tecumseh luid. 'En daarom zorg ik voor dat ene waarvoor nog niets was geregeld, datgene wat haar het dierbaarst was. Ik denk dat ze het zo zou hebben gewild.'

'Hoe weet jij dat nou?' vroeg Charlotte. 'Hoe weet jij nu wat ze wilde? Dat wist je bij haar nooit. Ze was...'

Charlotte keek weer om naar de hond, die zijn lange roze tong introk en even leek te stoppen met ademen. Hij hield zijn kop schuin, alsof hij stoer en uitdagend wilde zeggen: *Hé, heb ik wat van je aan of zo?*

'Ik wel,' zei Clark. 'Ik wist het wél.'

Charlotte keek uit het raam. Ze dacht aan de eenzame, eerbiedige manier waarop Clark de dagen daarvoor door zijn ouderlijk huis had gelopen en de begrafenis had voorbereid. Hij had bijna de indruk gewekt dat zijn moeder alleen maar boven een dutje deed. Hij gedroeg zich heel anders dan zijn vader en zijn zus. Helemaal niet alsof er iets voorbij was.

# Verkocht

Het huis dat ze uitzochten was geel, had maar één bovenverdieping en keek de bezoeker met twee ramen vriendelijk aan. Ertegenover was een boomgaard vol taankleurige appelbomen en merels die de hele dag zwalkend af en aan vlogen. Clark en Charlotte hadden een foto van het huis in de krant gezien: Quail Hollow Road nummer 12. Het was het eerste wat echt van hen samen zou zijn.

Toen ze het huis voor het eerst gingen bekijken, zag het er tot hun vreugde precies zo uit als op de foto uit de krant. Charlotte werd verliefd op de zonnige keuken en de kleine achtertuin, en Clark hield van de schoorsteen die pruttelde als het waaide. Binnen lag visgraatparket en de treden van de trap waren kort als de traptreden in een oude hut, hoewel het huis niet oud was. De achtertuin werd omgeven door altijdgroene heggen, en midden in de tuin stond één enkele haagdoorn die eruitzag alsof hij permanent door schrik bevangen was.

In de slaapkamer boven zat een gat ter grootte van een vuist in de muur, het enige wat de vorige bewoners voor hen hadden achtergelaten. Een gat in de muur, een aantal goudkleurige haarspelden die in de kieren tussen de vloerplanken geklemd zaten, en ook een vage parfumachtige geur die verried hoe kortgeleden het huis ontruimd was. Afgezien daarvan was het een knus huis, en het leek in uitstekende staat te verkeren.

'Zeg het maar,' zei de makelaar. 'Doe een bod. Pluk de dag.'

Hij glimlachte met een haarspeld tussen zijn tanden.

En algauw was het huis van hen.

Lager op de heuvel lag een stadje dat Clementine heette. Dit zou hun nieuwe woonplaats zijn – een doodgewoon stadje dat werd bewaakt door een enorme verlichte klok boven op het stadhuis. Als ze op verkenning gingen in het stadje met zijn slijters, zijn duistere kerken en zijn oude portieken van voor de oorlog met ondoorgrondelijke Latijnse spreuken op de draagbalken, verdwaalden ze vaak, of ze maakten rechtsomkeert en moesten de weg vragen, waarop een onbekende zwijgend naar de heuvel gebaarde waarop hun nieuwe huis, de plek waar ze plotseling thuishoorden, op hen lag te wachten.

Een paar weken na de begrafenis van zijn moeder werd Clark de nieuwe leerlingbegeleider op de middenschool van Clementine. Ze namen een foto van hem en hingen die in de gang. Daarop keek hij alsof hij op het punt stond iets te zeggen. Zijn hoofd bevond zich helemaal boven in beeld,

waardoor zelfs op die foto zijn ongewone lengte werd be-
nadrukt.

# Ergens anders

Clark had de donkere zigeunertrekken en de grijsblauwe ogen van zijn moeder, maar hij had de lengte van zijn vader. Beide mannen waren zo lang dat ze hun kleding kochten in winkels voor extra grote maten. Net als alle andere lange mannen had Clark binnenshuis de neiging zich voorover te buigen en kleiner te maken, maar buiten, onder de blote hemel, zag hij er ontspannen, bevrijd en atletisch uit en zwaaiden zijn witte handpalmen losjes langs zijn lichaam. Soms fantaseerde Clark over een leven waarin alles voor hem op maat was gemaakt – niet alleen extra hoge plafonds en stoelen, maar ook extra geluk, zo lang als zijn schaduw, extra elegantie, zoals Lynn Swann die lichtvoetig over de *end zone* snelde alsof het een heideveld was, en een extra groot talent om altijd precies te weten wat je moest zeggen.

Zo werd hij op een avond in die eerste lente aan Quail Hollow Road overmand door een vreemd gevoel dat hij niet begreep. Ze woonden nog maar net in hun nieuwe huis, hij lag met Charlotte in bed en opeens leek het wel of hij ergens anders was. Hij had het gevoel dat hij niet thuis in bed met zijn vrouw aan het vrijen was, maar met de ogen van een oude man op zijn jonge lichaam terugkeek. Een hevig verdriet maakte zich van hem meester. Hij maakte zich los uit Charlottes omhelzing en ging naakt op de rand van het bed zitten.

Clark was sowieso behept met een nostalgisch trekje. Veel dingen miste hij alleen maar omdat ze er niet meer waren. En omdat hij ze miste, ging hij ervan uit dat het prettige dingen waren geweest. Hij miste zijn jeugd. Hij miste het plaatsje Carnifex Ferry, waar hij had gewoond tot zijn zesde, tot een reeks misverstanden rond zijn moeder hen naar andere plaatsen had gedreven. Die avond verschenen er allemaal beelden uit Carnifex Ferry op zijn netvlies – een honkbal die over een hek vloog, een bibliotheekbus met stationair draaiende motor, bekers schaafijs die vanuit de hoogte werden aangereikt, mensen die naar binnen renden omdat het regende. Het drong tot hem door dat er van het voorafgaande jaar niet veel was blijven hangen, maar dat hij nog alles van dat plaatsje wist. Hij miste het, en hij miste de zomervakanties aan het nabijgelegen meer, waar hij op zijn vijftiende verjaardag onder een afdakje door Kiki Zuckerman was ontmaagd. Eerder die dag had hij zijn trommelvlies gescheurd bij een duik van een ophaalbrug, waardoor het vrijen een dromerige, onwerkelijke sfeer had gekregen die hem altijd was bijgebleven. Opeens miste hij het om maagd te zijn. Hij had heimwee naar de grootsheid van kleine momenten. Die nostalgie was zo deprimerend dat het leek of hij binnen het uur een oude man was geworden.

Hij keek naar de hond van zijn moeder, die zich tijdens het vrijen ingetogen in een hoekje van de slaapkamer had teruggetrokken, maar hem nu in het donker met zijn bedachtzame ogen aanstaarde. Toen Clark zijn hoofd weer terugdraaide, zag hij – hij zou het durven zweren – een vluchtige, sierlijke vrouwenschaduw langs de deuropening glijden.

'Wat...' begon hij, maar hij maakte zijn zin niet af en keek om naar Charlotte. Ze was nog wakker, maar lag roerloos languit op het bed. Hij sloeg met zijn hand tegen zijn voorhoofd. Hij had het zich dus verbeeld. Schaduwen. Toch draaide hij zijn hoofd en tuurde hij secondenlang naar de ondoorzichtige duisternis die de deuropening vulde.

Charlotte schraapte haar keel.

'Wees eens lief en haal een glas cognac voor me,' zei ze.

Clark keek over zijn schouder. Ze had haar knieën zeer beslist tegen elkaar gedrukt. Ze hadden al een poosje niets gezegd.

'Ik heb op dit moment geen zin om lief te zijn,' zei hij.

'Ook goed,' zei ze. 'Haal dan een glas cognac zonder lief te zijn.'

Hij ging liggen en stak in het donker huichelachtig zijn hand naar haar uit. Daarna bedekte hij zijn voeten, die koud waren en over de rand van het bed bungelden. Hij wilde zeggen dat het hem speet, maar zei niets. *Bied nooit je ver-ontschuldigingen aan*, was de les die zijn vader hem vroeger altijd had geleerd. Van hem had Clark een uitgesproken, bijna arrogante weerstand tegen excuses geërfd. *Je doet iets waar je achter staat, of je doet het niet.* In de stilte keek Clark naar zijn eindeloos lange benen. Charlotte was muisstil, maar hij voelde dat ze wakker was.

'Denk je dat het hier spookt?' vroeg hij.

'O god,' zei Charlotte. 'Als je het over spoken gaat hebben, wil ik echt een glas cognac.'

'Het was maar een grapje, hoor,' zei Clark. 'Ik geloof niet in spoken.'

Maar voor de zekerheid keek hij toch even naar de lege deuropening. Daarna raakte hij de achterkant van Charlottes haar aan, dat in de nacht donkerder leek. Haar schouder werd omsloten door maanlicht.

'Hé,' zei hij.

Na een tijdje schopte hij de lakens van zich af en ging de cognac halen. Hij bukte zich onder de deurpost en keek de gang rond. In het donker vond hij de trapleuning en liep naar beneden. Hij droeg niets anders dan een paar sokken en voelde zijn eenzame delen tussen zijn benen heen en weer bungelen. Hij vond de weg naar de drankkast en de fles cognac.

'Doe het licht aan,' riep Charlotte vanuit de slaapkamer. 'Straks val je nog.'

Hij had de fles cognac zo gevonden, maar hij moest in een paar dozen rommelen om een glas te vinden.

'Moet het in dat ene glas?' riep Clark over zijn schouder. 'Dat kan ik namelijk niet vinden.'

'Nee,' antwoordde Charlotte slaperig. 'Pak er maar een, het maakt niet uit.'

Clark richtte de hals op het glas en gebruikte zijn vingers om te voelen waar hij schonk. Hij hield op met schenken toen het glas min of meer vol klonk. Het was die avond weer gaan regenen en de vochtverzadigde wind beukte tegen de ramen, waaide door de kieren naar binnen en verkilde zijn blote billen. In de tuin zwiepte de heg heen en weer. De maan was nu niet meer te zien.

'Clark,' riep Charlotte boven hem.

Hij keek omhoog. 'Ja?'

'Alles goed?'

'Ja, natuurlijk,' antwoordde hij. 'Ik kom eraan, Charlie.'

Door de afstand leek ze een heel klein stemmetje te hebben. 'Nee, ik wil weten hoe jij je voelt,' zei ze. 'Hoe... Hoe is het met jou?' Ze liet een korte stilte vallen. 'Wil je praten? Het maakt me niet uit waarover. Je moeder. Ben je verdrietig? Ik zal luisteren, dat beloof ik. Wil je dat?'

Hij liep naar de trap en bleef met gebogen hoofd bij de onderste trede staan. Hij nam een slokje van de cognac en voelde de drank door zijn keel glijden.

'Nee,' zei hij schouderophalend. 'Ik ben niet verdrietig. Ik wil niet praten.'

'Oké,' zei ze. Weer viel er een korte stilte. 'Maar ik wil even zeggen dat ik van je hou.'

'Wauw,' zei Clark. 'Zeg dat nog eens?'

Hij stapte op de eerste trede. Zijn mondhoeken gingen omhoog en met zijn tanden op de rand van het glas luisterde hij een paar seconden.

'Ik vind het niks als we zo naar elkaar moeten schreeuwen,' zei Charlotte na een paar tellen.

'Oké,' zei Clark. 'Ik kom er zo aan.'

Hij stapte van de trap, tastte in de donkere gang om zich heen en vond een krukje. Hij ging zitten en strekte zijn benen niet helemaal uit. Hij schoof zijn kousenvoeten een paar keer heen en weer en nipte af en toe aan het glas.

Na een poosje schonk hij nog wat cognac in en keek om zich heen. De schaduwen speelden met de schaduwen. Hij voelde zich nog niet op zijn gemak in het huis. Hij kon zijn spullen nog niet blindelings vinden. Hij had verwacht dat hij zich onmiddellijk thuis zou voelen en zich 's avonds zou kunnen ontspannen, maar alles moest nog een vaste plek krijgen. De donkere bomen ruisten voor het raam. Hij liet de drank door het glas walsen.

Opeens maakte zijn hart een wanhopige voorwaartse sprong, als een hond in een zak, en hij besefte dat hij heel graag wilde praten. Hij wankelde naar de trap.

'Charlie?' riep hij. 'Charlie? Ben je nog wakker?'

Er kwam geen reactie. Hij draaide zich om en keek weer naar de duisternis. Hij had durven zweren dat de duisternis hem bestudeerde. Hij wikkelde zich in een deken die over de leunstoel hing en ging op de onderste trede zitten. Na een tijdje drong het tot hem door dat hij zijn spieren spande. Het leek wel of hij wachtte tot er iemand – de vreemde, die schaduw, dat stukje duisternis – naast hem op de trap ging zitten en hem het geheim vertelde. Hij hield de fles aan de hals vast. Hij gooide zijn hoofd in zijn nek, likte de laatste druppels van de stroperige vloeistof uit zijn glas en schonk het nog eens vol.

# Familiegeluk

De nieuwe woonomstandigheden waren allesbehalve ideaal, en na een paar maanden konden Charlotte en de hond van haar schoonmoeder nog steeds niet met elkaar overweg. Ze leken het niet eens te kunnen worden over de vraag van wie het nieuwe huis was. Als Charlotte de waterbak van de hond wilde vullen, hapte hij naar haar hand. Hij strooide zijn brokken in het rond en ging dan 'op jacht' om ze allemaal te zoeken. Charlotte stapte vaak op de brokken die hij over het hoofd had gezien. Als ze verhuisdozen uitpakte, kwam de hond soms uit het niets om een voorwerp uit een doos te grissen en naar een hoek te slepen. Hij bleef er dan overheen staan alsof het een prooi betrof. Het hielp beslist niet dat de hond van Clark op het bed mocht slapen, een plek die hij in zijn vorige huis kennelijk ook had bezet, want zijn vijandige lijf drukte de hele nacht op haar benen. Bij zonsopgang sprong Tecumseh van het bed en begon luid te janken. Charlotte zwaaide dan met een gebalde vuist naar hem. De hond en de vrouw staarden elkaar aan, hij met witte ogen, zij met donkere. Ze beseften dat ze rivalen waren, net zoals Charlotte Vera's rivale was geweest toen haar schoonmoeder nog leefde. Met haar donkere ogen seinde Charlotte: *dit is mijn huis.* Met zijn uitdagende witte ogen seinde de hond terug: *huizen bestaan helemaal niet.*

Alles veranderde toen Charlotte op een lenteochtend de deur opendeed om zich voor de zoveelste keer te verweren tegen de pietluttige kritiek van meneer Pitts. Meneer Pitts, die op het hoogste punt van Quail Hollow Road woonde en het leuk vond om in een gekreukte, appelgroene lange broek de heuvel op en af te wandelen en zijn neus in andermans zaken te steken, kwam Charlotte de les lezen omdat zij en Clark zich bij het gebruik van elektrisch gereedschap niet aan de geluidsverordening van Clementine zouden houden. Charlotte deed haar best om door de hordeur heen beleefd naar hem te luisteren. Het was april, en van alle buurtbewoners was meneer Pitts de enige die de moeite had genomen hen te verwelkomen. Ze hadden over de heg gezwaaid naar hun buren, het echtpaar Ribbendrop, en 's zaterdagsavonds hoorden ze de feestjes van hun andere buurvrouw, die gescheiden was. Over het algemeen leken de buurtbewoners Charlotte en Clark niet al te serieus te nemen.

Met uitzondering van meneer Pitts. Er kwam geen einde aan zijn verhaal! Charlotte wilde net haar handschoen opsteken om hem te onderbreken toen ze achter zich een heel vreemd geluid hoorde. Het klonk alsof het uit de keel van een monster kwam. Voordat ze besefte wat er gebeurde, dook Tecumseh op uit de schaduwen van de gang. Hij sprong met opgetrokken lippen en blikkerende tanden in de richting van de oude man, die met een doodsbange blik aan de andere kant van de hordeur stond.

De deur boog door onder het gewicht van de hond en de oude man wankelde achteruit. Charlotte bracht haar hand naar haar gezicht. Ze kreeg niet eens gelegenheid om zich te verontschuldigen. De man rende zo hard hij kon de heuvel op en viel hen nooit meer lastig.

Vanaf dat moment konden Charlotte en Tecumseh wel samen door één deur, al was er eerder sprake van een wapenstilstand dan van vriendschap. Charlotte probeerde hem niet voor zich te winnen en knuffelde hem ook niet, zoals Clark. Soms aaide ze over het zachte groefje midden op zijn kop. Als compromis accepteerde de hond beneden een slaapplaats onder de drankkast, en Charlotte stond plichtsgetrouw bij het eerste gejank op om hem naar buiten te laten en de zonnegod te laten begroeten, of wat zijn gejank dan ook betekende. Charlotte bedacht dat ze daarmee ook een wapenstilstand sloot met de overleden vrouw die in de jaren dat ze elkaar hadden gekend nooit aardig tegen haar was geweest.

Hoe was die tijd zo snel voorbijgegaan? Het ene moment moest ze lachen om een lange, onbekende man met krullend haar die op straat achter zijn wegwaaiende krant aan rende – haar eerste herinnering was het geluid van haar eigen lach, een ei dat in haar borstkas brak – en elf hartstochtelijke weken later waren ze getrouwd. Tijdens die elf weken had Clark Charlotte alles over zijn ouders verteld –

meeslepende verhalen over Mexicaanse kerken die ze bij kaarslicht hadden gebouwd en dat zijn moeder als jonge vrouw een taart met een geheime landkaart erin had afgeleverd en zo een steentje had bijgedragen aan een of andere Latijns-Amerikaanse revolutie. Als je Clark hoorde praten, zag je automatisch een jong echtpaar met hoge schoenen over 's werelds wegen rennen, dapper en half goddelijk. Bij zo'n familie wilde ze horen.

Zelf was Charlotte namelijk als tweejarig meisje geadopteerd door een echtpaar op leeftijd, Paul en Dodie Gagliardo, afkomstig uit een naburig industriestadje dat ooit befaamd was geweest vanwege de panty's die er werden gefabriceerd. Ze had alleen maar nietszeggende herinneringen aan haar jeugd: de brosse biscuitjes die ze altijd in huis hadden, ijskoude ramen, een bal die wegsprong als ze hem wilde laten stuiteren en de kanteelvorm van de fabrieksgebouwen in de avondschemering. Ze wist niet wat er met haar biologische moeder was gebeurd en dat wilde ze ook niet weten, al waren er soms wel flarden van herinneringen die heel even een stekende pijn veroorzaakten. Ze kon ze nooit samenvoegen tot een geheel, en er een leven lang over blijven speculeren had net zo weinig zin als met een dissel op haar hoofd slaan. *Waarom waarom waarom.* Tja, waarom niet? Zo'n mysterie was het nu ook weer niet. Sommige mensen willen gewoon geen kinderen. Dat begreep ze wel. Zelf vond ze kinderen wel eens eng, vooral als ze baby's vasthield die zich alle kanten op bewogen om mooie kleurtjes te volgen met hun ogen.

Paul en Dodie Gagliardo waren leraren met vriendelijke, theekleurige gezichten die door de jaren heen wat gespannen waren geworden omdat ze geen kinderen konden krijgen. Charlotte had op de school gezeten waar Paul natuurkunde gaf, en na school liep hij vaak met haar naar huis en wees dan naar de eerste avondsterren boven de bakstenen horizon van de fabrieksgebouwen. Ze hadden het met hun drieën best fijn gehad en voorzover je dat kon beoordelen, was er sprake geweest van liefde. Liefde van de ouderwetse, allesbehalve knuffelige soort – liefde die brood bakt en met wat spuug op een zakdoekje een gezicht schoonboent. Maar niets had zo wezenlijk gevoeld als de manier waarop ze later uit elkaar waren gegroeid, een vriendschappelijke vervreemding die niemands schuld was, maar die onderstreepte dat ze in feite nooit echt bij elkaar hadden gehoord, vooral niet bij Charlotte.

Ze had het gênant gevonden om Clark te vertellen dat Paul en Dodie niet haar echte ouders waren. Toen ze het uiteindelijk opbiechtte, moest hij tot haar verbazing lachen. Hij sloeg zijn handen voor zijn gezicht. 'Ik begreep er al niets van,' zei hij lachend. 'Charlotte Gagliardo! Je ziet er helemaal niet Italiaans uit.' Meer woorden had hij er niet aan vuilgemaakt. Geen schaamte, geen koele reactie, geen bedenkingen. Alleen die lichte verbazing dat het leven je soms zo kon verrassen. Als ze had gezegd dat ze uit een oester was gekomen, zou hij hebben gezegd: *Daar wil ik meer over horen!*

Het was wonderlijk dat hij zoveel vertrouwen in haar had en geen moment aan hun liefde twijfelde. Wat hij haar daarmee leerde, was dat je je niet meer aan de regeltjes hoefde te houden als het leven je opeens voor verrassingen plaatste. Alles was mogelijk, álles. Je kon hele middagen ronddrijven op binnenbanden, je kon de megafoon van de bingospelleider op de promenade afpakken, je kon je verloven, je kon redelijk straffeloos over de fantastische plannen praten die je nooit zou realiseren, je kon onaangekondigd bij je ouders binnenvallen met een vrouw die bijna net zo lang en dun was als jijzelf, haar hand vasthouden terwijl zij verlegen een lok stug, blond haar achter haar oren veegde en aankondigen: 'Dit is Charlotte. We zijn net getrouwd.'

Impulsieve romantische daden worden natuurlijk niet door iedereen gewaardeerd. Vera Adair had demonstratief haar schouders laten hangen toen ze met Charlotte kennismaakte. Ze had een slap handje uitgestoken en tegen haar zoon gezegd: 'Goh, leuke lach heeft ze.' Op dat moment voelde Charlotte de plaatsvervangende schaamte van Clark, die naast haar stond, want hij wist dat ze zich voor haar scheve hoektanden geneerde sinds ze haar op school Konijn waren gaan noemen. Charlotte had haar mond met haar hand bedekt. Precies op dat moment kwam een boomlange man, die Clarks vader bleek te zijn, uit zijn werkkamer. Hij droeg een wollen trui en nam Charlotte aan haar arm mee naar de woonkamer om haar een drankje aan te bieden en op hun huwelijk te toosten.

Daarmee was de toon gezet voor alle bezoekjes van de twee volgende jaren. Aan het einde van haar leven keerde de vreemde, impulsieve vrouw steeds meer in zichzelf. Haar verhalen werden grilliger, maar ze bleef Charlotte pesten met haar uitgesproken overgevoeligheid voor afwijzing en verrassingen. Het was bijna alsof ze Charlotte tartte met de persoon die ze niet meer wilde zijn – een eenling, een sceptica, een wees –, een persoon die eigenlijk niets in het rijk van het familiegeluk te zoeken had. Tijdens logeerpartijen bij haar schoonouders zag Charlotte meer dan eens haar ingepakte koffer voortijdig bij de voordeur staan. Op straat bleek dan opeens een taxi te wachten en vanuit een kamer in de verte klonk de opgewekte roep van Vera, die steevast een witte nachtpon droeg: 'Ach kind, ik dacht dat je vandaag wegging.'

Opeens moest Charlotte lachen om die herinnering. Clark, die tegenover haar aan de keukentafel zat, keek op van zijn kruiswoordpuzzel. De hond zat naast hen op de linoleumvloer naar het stuk toast te kijken dat Charlotte van het bord pakte. Zijn lippen zaten tussen zijn tanden. Charlotte lachte nogmaals, iets vertederder deze keer, en ze stak haar hand uit en aaide de hond over zijn kop.

'Wat valt er te lachen?' vroeg Clark. 'Waarom zit je in jezelf te grinniken?'

Charlotte gaf haar geroosterde brood aan de hond, die het met grote krokodillenhappen opschrokte.

Ze klopte de kruimels van haar handen en keek om zich heen. Het huis begon er nu eindelijk bewoond uit te zien. 'Ik ben gewoon trots op ons. Dat we ons leven zo normaal hebben voortgezet. Gezien alles wat er gebeurd is. Het verleden, bedoel ik. Het krankzinnige verleden.'

Clark duwde zijn naakte benen tegen elkaar en spreidde ze weer. Hij zat in zijn onderbroek aan tafel en had een blauw kleurpotlood in zijn hand.

'Zeker,' zei hij.

'Zelfs de hond,' zei Charlotte. 'Volgens mij is hij er helemaal overheen. Voilà. Een nieuw begin.'

Ze keek glimlachend naar de husky, die zijn traktatie had doorgeslikt en opkeek naar zijn nieuwe bazinnetje. Het verleden was nog maar een gerucht.

# Einde discussie

Tegen de tijd dat het zomer werd ging het heel goed met de Adairs. Ze beleefden menige gymnastische nacht in bed en bleven 's avonds lang op, dronken in het donker limonade of cognac, lachten en speelden 'oppakkertje' en diverse andere spelletjes die ze in hun kinderloze huwelijksledigheid hadden verzonnen. Ze hadden beiden het gevoel dat het nu misschien zover was, dat het echte leven nu dan toch eindelijk ging beginnen. Ze zetten alle ramen open en de zomerlucht vulde het huis. De kamers waren geschilderd, de meubels stonden grotendeels op hun plaats. Tecumseh bleef met zijn voer in het rond strooien en erachteraan jagen, maar hij jankte niet vaak meer bij zonsopgang. En toen het hondenhok in de achtertuin eenmaal klaar was, keek Charlotte vaak of hij zichzelf niet had gewurgd door er met zijn ketting omheen te lopen. Wat Clark aangaat, die had de vrouwelijke schaduw niet meer gezien en dacht er nooit aan.

Charlotte had een hopelijk zeer tijdelijke baan gevonden als secretaresse van Warren Ziff, een montere letselschadeadvocaat, en Clark, die er net zijn eerste trimester aan de middenschool op had zitten, was blij dat hij de hele zomer vrij was. Eindelijk hoefde hij geen leerlingen meer te vertroetelen of te ondervragen omdat ze in de wc hadden gemasturbeerd, de deur van de lerarenkamer met graffiti hadden bespoten of iemand met handboeien aan een douchehokje hadden vastgeketend, om al die ongeoorloofde, hartstochtelijke en idiote dingen die kinderen deden – álles wat kinderen deden eigenlijk. Evenmin hoefde hij de leraren te vertroetelen, die over alles kibbelden, klaagden en hun gal spuiden. Hij luisterde niet graag naar mensen. Hij was daar heel slecht in. Dat wil zeggen, het luisteren ging nog wel, maar daarna wilden mensen weten wat jij ervan vond. Voor wie je partij koos. Willekeurig voorbeeld: twee jongens worden bij je gebracht omdat ze met elkaar hebben gevochten. De eerste jongen zegt dat de tweede is begonnen, de tweede dat de eerste is begonnen, en ze hebben allebei een blauw oog. Als ze allebei toch al een blauw oog hebben, wat is dan eigenlijk het probleem?

Kinderen hadden een bepaalde woestheid in zich die niets vertederends had en ook niet erg aantrekkelijk was. Je kon die woestheid alleen maar op afstand houden totdat ze was uitgewoed.

Clark werd geacht een avondcursus te volgen. Hij had zijn lesbevoegdheid, maar geen officiële opleiding tot leerlingbegeleider. Geen diploma. Omdat er sprake was van een noodsituatie doordat de vorige leerlingbegeleider door een duistere gewrichtsaandoening geveld was, had de middenschool Clark aangenomen op voorwaarde dat hij zijn diploma zou halen door een cursus ontwikkelingspsychologie te volgen bij het plaatselijke volwassenenonderwijs. Maar de cursusavonden waren Clark langzaamaan gaan vervelen en hij ging er niet meer heen. Hij ging ervan uit dat de jongeren zich toch wel tot volwassenen zouden blijven ontwikkelen, of hij daar nu een cursus in volgde of niet. En de truc om een probleemkind te begeleiden? Pleur op, ga iets nuttigs doen. Daar had je toch geen diploma voor nodig?

Clark hield van de zomervakantie en nam die heel serieus. 's Zomers vond hij het fijn om leerlingbegeleider te zijn. Hij sliep elke warme ochtend lang uit, en als het weer koeler werd wist hij dat het avond was en dan begon hij met koken voor Charlotte; hij roerde in pannen, trok een biertje open, keek naar de tv en naar het afnemende daglicht. Hij hield van de ingetogenheid van schaduwen, die lang en dun waren net als hijzelf. Overdag wandelde hij met Tecumseh door de buurt. Hij had het gevoel dat de hond en hij elkaar begrepen. Soms ging Clark met hem naar de appelboomgaard aan de overkant en liet hij hem naar de merels blaffen. Ze gingen samen in de schaduw op het iele gras zitten dromen, allebei van hun eigen dingen. De husky liet zijn tong zijwaarts uit zijn bek hangen.

Maar op een keer gleed Clark uit terwijl hij Tecumseh met zijn ketting aan het hondenhok vastlegde. Na een fractie van een seconde waarin hond en man elkaar verbaasd aankeken ging de hond er met zo'n vaart vandoor dat het duidelijk was dat hij op deze kans had zitten vlassen. Clark werd korte tijd

verlamd door de onthulling dat de hond hem blijkbaar helemaal niets verschuldigd meende te zijn, dat de liefde niet
als vanzelf opbloeide als twee levende wezens het eenmaal
een tijd met elkaar uithielden. Hij riep het beest na, maar
Tecumseh keek alleen nog even om voordat hij door de heg
brak en verdween, en zijn blik vroeg: *Waarom probeerde je
me vast te houden terwijl niets bestendig is?*

Clark kamde de hele dag de buurt uit en riep zijn naam.
*Tecumseh! Tecu-u-umseh!*

Hij was woedend op zichzelf. Hoe had hij dit zo kunnen
verprutsen, zijn laatst overgebleven verantwoordelijkheid
jegens zijn moeder? Misschien had hij de hond niet in huis
moeten nemen; misschien was dat helemaal niet wat zij
zou hebben gewild. Nu moest hij de hele tijd haar teleur-
gestelde gezicht uit zijn gedachten meppen. Hij dacht so
wieso niet graag aan haar terug, behalve als het ging om
zijn vroegste herinneringen, waarin ze een prachtige, exoti-
sche jonge vrouw in Carnifex Ferry was en hij haar cheru-
bijntje, haar lievelingetje, haar aller-allerliefste lievelingetje;
ze kuierden samen rond vijvers en maakten grapjes over de
kikkers, ze botaniseerden planten in de vochtige bossen
achter het huis, soms hield ze hem thuis van school. Hij
herinnerde zich zelfs dat hij nog langer geleden op haar
borst had liggen slapen, herinnerde het zich op een primitieve manier. Hij voelde zich een goede zoon als hij niet te-
rugdacht aan de tijd nadat ze... nou ja, raar was gaan doen.
Al zolang hij zich kon herinneren was ze raar geweest,
maar op een fantastische manier, een kindermanier. Een

circus, snorrende windmolentjes. Maar toen was er iets gebeurd. Was hij groot geworden? De herinnering aan haar ogen in die laatste jaren, duister, afstandelijk en beschuldigend, haar lichaam dat bijna had gesmeuld van ellende – hij wilde het niet. Ze had een eind aan haar leven gemaakt. Dat was een duidelijk statement. Ze had op niet mis te verstane wijze een eind aan de discussie gemaakt.

Die avond in bed raakte Charlotte de arm van haar man aan.

'Hij komt wel terug,' zei ze. 'De hond.'

'Als jij de hele dag aan een paal vastgebonden was,' zei Clark, 'en je zag kans te ontsnappen, zou je dan terugkomen?'

Ze beet op haar wang. 'Tja. Aan een paal vastgebonden zijn heeft z'n voor- en z'n nadelen.'

'God ja, wie weet,' zei Clark met een zucht. 'Misschien is hij iets gaan zoeken. Of misschien... misschien íémand. Misschien is-ie mijn moeder gaan zoeken.'

Charlotte voelde zich opgelaten. Ze was aan de hond gehecht geraakt en dit plotselinge inzicht trof haar onaangenaam.

'Kom op, zeg,' zei ze knarsetandend. 'Het is maar een hond. Hij neemt met iedereen genoegen. Hij weet het verschil niet tussen liefde en de zweep.'

Clark keek haar met holle ogen aan. 'Dan is-ie misschien kwaad,' mompelde hij. 'Misschien vindt-ie ons niet aardig.'

'Belachelijk. Een hond kan niet kwaad worden. Een hond kan geen wrok koesteren.'

'Dat weet ik zo net nog niet. Alles op deze wereld heeft een geheugen. Het land heeft een geheugen. Heb je er nooit over nagedacht wat een fossiel eigenlijk is? Of denk aan de jaarringen van een boom. Stap eens in een vliegtuig...'

'Ik heb wel eens gevlogen, hoor!'

'... dan zie je littekens in de vegetatie, op plekken waar branden zijn geweest, daar groeit niets meer. In memoriam. Uit respect. De indianen,' vervolgde hij met opgestoken wijsvinger, 'die geloofden dat je in het hiernamaals je lichaam houdt. Ze kerfden hun naam in het lichaam van hun slachtoffers, zodat die na hun overlijden niet zouden vergeten wie hen had gedood.'

Clark draaide zich op zijn zij en staarde door het raam naar de maan. Die stond laag aan de hemel. Hij zag er bedrukt uit en zijn gezicht zat vol kraterputten. Plotseling was Clark razend. Het porselein was al weg, en nu de hond ook nog. Het enige wat hem nog van zijn moeder restte, waren een paar sleutels, een haarborstel en een handvol akelige beelden. Een ogenblik later verslapte de greep van de woede op zijn keel, en wat overbleef was iets kleiners, bitterders. Hij dacht aan zijn moeder en Charlotte die in verre herinneringskamers met elkaar kibbelden.

'Trouwens,' zei hij, 'wat het koesteren van wrok betreft, jíj zou toch beter moeten weten.'

Hij draaide zich log om in bed, van haar af. En op dat moment, alsof ze reageerde op de stemmingswisselingen in zijn hart, liep de schaduw weer langs de deuropening met een wijnglas in haar hand.

Hij ging overeind zitten.

Charlotte lag met haar rug naar hem toe, naar het raam gekeerd. Hij keek langs haar heen, naar de stammen van de bomen buiten die vrouwelijk van vorm waren. Was de gestalte een zeer realistische illusie geweest die door koplampen in de kamer was geworpen?

'Jezus,' zei hij.

Hij ging weer liggen.

'Hè?' zei Charlotte. 'Wat nu weer?'

Toen werd hij door een enorme vermoeidheid overvallen, en opeens interesseerden logische verklaringen hem niet meer. Het kon hem zelfs niet schelen of er een echte vrouw langs de deuropening was gelopen. Het maakte niet uit. Hij voelde zich geweldig moe, die laatste vraag was er één te veel geweest.

'Ik weet het niet,' zei hij. 'Niks. Ga maar weer slapen.'

# Een speciale regeling

De zomer in Clementine werd warm en stormachtig. De wind hield Clark 's nachts wakker, en de echtelieden losten elkaar af in slapeloosheid, mopperden slaperig op het kleine bed en Clarks lange armen en benen. Door Clarks oppervlakkige slaap werden zijn dromen levensechter – onweer, de donderbuien in Carnifex Ferry, een klein jongetje dat God hard met een enorme bakplaat hoorde rammelen. En als hij midden in de nacht in het donker wakker werd, gingen zijn ogen onwillekeurig naar de deur. Hij begon te geloven dat het slechts een kwestie van tijd – dagen, minuten – was voordat hij weer oog in oog zou staan met de onbestaanbare gedaante. Hij keek in het donker naar Charlottes prachtige rug. Als hij haar wakker zou maken, wat moest hij dan zeggen?

De zomer was zo warm geworden dat Clark de gewoonte had aangenomen overdag naar het plaatselijke zwembad te gaan. De hele lange dag waadde hij van tijd tot tijd door het koele blauwe water, tussen kinderen, huisvrouwen en oude mannen met dunne armpjes, waarna hij tijdelijk verkwikt terugliep naar zijn stoel op het gras. De wandeling in de hitte naar het zwembad was bijna te veel voor hem, waardoor het visioen van het bad alleen maar paradijselijker werd. Hij moest er tot zijn ergernis aan denken dat bepaalde dieren naar het water trekken om te sterven.

Maar het was zo ontzéttend warm. Zelfs de hemel was verdord. Het had in geen weken geregend. Alleen daar op het gras bij het zwembad, waar hij bruin werd en naar de spelende kinderen kon kijken, voelde Clark zich verlost van de hitte en de angst. Daar voelde hij zich normaal en verkwikt en werd hij helemaal niet lastiggevallen door schaduwen. Het was goed om uit het huis weg te zijn. Als je je in normale Amerikaanse bezigheden onderdompelde, ontdekte hij, dan plukte je heel makkelijk de vruchten van de normaliteit. Niemand vroeg je visionair te zijn.

Bovendien hield hij van het kijken naar de spelende kinderen. Ze gaven hem in een abstracte zin energie. Hij hield best van kinderen, ook al hield hij er niet van leerlingbegeleider te zijn. Hij hield van de jeugd. Voordat alles begon. Hij vond het fijn om naar kinderen te kijken die gewoon kinderen waren, een platte duik maakten vanaf de lage plank, zich met volle kracht lieten vallen als dikke takken, zonder enig oog voor hun eigen welzijn. Hij vond het fijn hen rillend te zien rondhollen en schaamteloos aan hun kruis te zien krabben, hun hoofden glimmend als zeehondenkoppen. En soms kostte het hem moeite niet naar hen toe te hollen om mee te doen, maar einde-

loos in de zon te blijven bakken bij de andere volwassenen die er, met hun brede heupen en harige penzen languit op het gras naast het zwembad, uitzagen als geslachte
buffels.

Clark trok één been op en tuurde door zijn zonnebril.
Het was kinderuurtje en de kinderen in het bad voerden
een show voor hem op. Hij lachte en klapte. Ze vonden het
leuk als hij naar hen keek. Hij kon goed overweg met kinderen en sinds kort verlangde hij naar een eigen kind. Som-
migen kenden hem blijkbaar van school en verdrongen elkaar in de rij voor de duikplank. Eén jongen grijnsde naar
hem, holde over de plank en vloog in volleerd-horizontale
positie over het water, waarna zijn gezicht met een natte
klap het oppervlak raakte. De vlakke duik was zo perfect uit-
gevoerd dat de jongen, toen hij uit het bad klom en wankelend naar zijn moeder liep, zijn best moest doen om niet te
huilen.

De moeder, een mooie jonge brunette met stevige schouders die glommen van de babyolie, nam de jongen in haar
armen en troostte hem. Clark keek toe terwijl de jongen als
door een wonder tegen haar aan in slaap viel. Het ouder-
schap had iets heroïsch, bedacht Clark. Het maakte mensen tot helden – gewone mensen, belastingconsulenten,
tandartsassistentes en zelfs gestoorde gekken. Dat soort
mensen stond altijd in de krant, ze redden hun kinderen
van op hol geslagen bussen en dorsmachines, sprongen
zelf in de baan van het kwaad, ontwikkelden een bovenmenselijke kracht en scherpzinnigheid. Hun kinderen ver-

trouwden zo blindelings op hen dat ze uitgroeiden tot alledaagse godheden die opdoken uit een wolk bakmeel, met een paraplu als staf.

Charlotte en hij zouden geen kinderen krijgen. Zij wilde ze niet. Voor hun huwelijk had ze dat heel duidelijk als voorwaarde gesteld. Ze had gezegd dat het veel te makkelijk was om een erbarmelijk slechte ouder te zijn, waarna ze luchthartig had gelachen en had gezegd: *Kijk eens goed naar ons.* Clark had met haar ingestemd. Gezegd dat hij ze natuurlijk ook niet wilde en meegelachen, en zijn neus in haar haar gestoken.

In werkelijkheid had hij er helemaal niet over nagedacht. Hij had zo graag met Charlotte willen trouwen dat zij het enige was wat hij zag als hij naar haar keek. Het huwelijk van zijn ouders lag op dat moment al aan duigen vanwege mevrouw Flanigan, zijn zus Mary was met haar man Jerome naar Detroit verhuisd en had haar handen van hen af getrokken, en zijn moeder was bezig in een vrouw te veranderen die hij nauwelijks herkende. Charlotte was het enige vitale op de wereld. Ze bruiste. Ze straalde. Ze maakte zich om de meest fascinerende dingen druk. Hij hield van haar lichte aanraking, haar bedeesdheid, de manier waarop ze vooruitliep zonder op hem te wachten, van de vochtige zijden blouse die ze op een avond naar een zomerconcert droeg en de grassprieten die ze zonder het te beseffen in haar bleekgele haar meedroeg. Hij hield zelfs van haar mysterieuze afkomst, want die sterkte hem in zijn vermoeden dat hij een prinses op de kop had getikt. Al het andere bestond niet meer. Ze had een mager, ongeremd, perfect functionerend lijf. Het stroomde in rivieren van melk naar de grond. En inmiddels wist hij dat ze samen gelukkig konden zijn en een goed leven konden hebben. Ze zouden tevreden en gelukkig zijn, maar misschien wel nooit helden worden.

Clark leunde achterover en deed zijn ogen dicht. Hij voelde een steek van pijn in zijn hart, maar glimlachte desondanks. Omhoog, naar de zon. Hij hoorde de doffe dreun waarmee een volleybal werd teruggestompt, de bel van de kassa in de snackbar en de zangerige stemmen van een groep meisjes vlak bij hem die een kinderrijmpje opzegden: *Eén ei is geen ei, twee ei is een half ei, drie ei is een pausei. En jij erbij, en ik erbij, wordt dat geen mooi schilderij?* Algauw werden die geluiden steeds zwakker en was het enige wat hij door de zachte zeeruis van zijn bloed heen hoorde zijn hartslag.

Een koude hand werd op zijn schouder gelegd.

'Hallo,' zei een stem. 'Hallo. Hoort u mij?'

Clark deed zijn ogen open en zag een tienermeisje met een bovenmaatse zonnebril op.

'Hallo,' zei hij.

'Hallo,' zei zij. 'U bent toch meneer Adair? U was vorig jaar mijn leerlingbegeleider.'

Clark probeerde zijn blik scherp te stellen, maar ze splitste zich in zes identieke meisjes.

Ze deed haar zonnebril omhoog. 'Ik ben Judy.'

'O ja, dag Judy,' loog hij. 'Geniet je van je vakantie?'

'Ja hoor. Ik hoor eigenlijk niet bij dit zwembad, maar vandaag ben ik hier te gast. Mijn kleine broertje heeft een vriend die lid is.' Ze deed de bril weer omlaag en liet haar blik over het bad gaan. Haar haar was donker en stug en ze droeg een lubberend roze badpak met een zwarte ceintuur. Ze kwam hem totaal niet bekend voor. Ze was kennelijk braaf geweest. Hij herinnerde zich alleen de eenzamen en getroebleerden, degenen die aan de medicijnen waren, degenen die hij naar St. Luke moest sturen. Hij keek weer naar het meisje op. Judy, dacht hij, Judy... Hij was opeens hevig in de war.

'Het gaat me natuurlijk niks aan,' zei het meisje, 'maar u hebt urenlang in de zon zitten slapen. U bent zo rood als een kreeft. Volgens mij kunt u beter in de schaduw gaan zitten.'

Clark keek naar de lucht en waarachtig, de zon stond veel verder naar het westen. Het gras rondom hem was bijna leeg, er lagen alleen nog twee verkreukelde handdoeken. Hij stond snel op en het werd zwart voor zijn ogen.

'Gaat het?' vroeg Judy.

'Ja hoor, prima,' zei Clark, maar hij liet zich blindelings in de stoel terugvallen.

Het meisje liep vlug naar de snackbar en gebaarde dat ze iets wilde. Clark schuifelde naar de rand van het bad en bleef staan, als verlamd door het zwakke, flakkerende, chemische blauw.

'Ho,' zei Judy, die uit het niets opdook. Ze leidde hem terug naar zijn stoel en drukte hem een bekertje water in de hand. 'U mag nog even niet zwemmen. Drink dit eerst maar eens op. Bovendien kunt u beter niet tijdens het kinderuurtje gaan. Wacht maar tot het volwassenenzwemmen. Tijdens het kinderuurtje is het een chaos. Het verbaast me dat er niet meer ongelukken gebeuren.'

Ze bleef naar hem staan kijken tot hij het water ophad.

'Dank je,' zei hij. Maar hij voelde zich niet beter.

Ze bleven een poosje zwijgend zitten. Clark hoopte dat ze hem niet om raad kwam vragen. Vervolgens vroeg hij zich af of hij buiten school eigenlijk wel met haar mocht praten, wat de regels daarvoor waren. Daarna vroeg hij zich af of ze echt was of een schaduw. Hij draaide zijn zware hoofd in haar richting en bekeek haar van opzij. Hij gaf een kordate klap op de leuningen van zijn strandstoel.

Maar Judy zei: 'O ja, wacht.' Ze haalde een strak opgevouwen stuk papier onder haar ceintuur vandaan. 'Is dit uw hond?'

Clark schrok op. Hij wees naar de poster die hij overal in de stad had opgehangen. 'Tecumseh!'

'Ja,' zei ze. 'Grijze hond? Grote klauwen?'

'Ja,' zei hij, hoewel dat allemaal al duidelijk was door de foto.

'Ik denk dat ik weet waar-ie is,' zei Judy. 'Maar wacht nog even met blij zijn. Ik kan niets beloven. Ik heb gewoon gevoel voor dit soort dingen. Ik neem alle posters van vermiste huisdieren mee die ik zie. Het is een soort hobby van me. Soms krijg je beloningen en zo.'

'Ah,' zei Clark. 'Oké. Wij zullen je ook iets geven.'

Judy leunde achterover. 'O nee, van u kan ik geen geld aannemen, meneer Adair, na alles wat u vorig jaar op school voor me hebt gedaan.'

Clark knikte glimlachend, hoewel zijn hoofd als warme pudding aanvoelde en hij geen flauw idee had waar ze het over had. Hij begon lichtelijk in paniek te raken.

'Ik zou u wel om een kleine gunst willen vragen,' zei Judy, en ze duwde haar zonnebril met één vinger omhoog. Ze draaide zich om en gebaarde naar de heuvel, waar een jongetje stond dat een volleybal tegen zijn borst geklemd hield. 'Ziet u dat joch daar op het volleybalveld? Dat kleintje met die bril?'

Clark keek omhoog.

'Dat is James. Hij is mijn kleine broertje. Een heel zoet jongetje. En érg slim. Ik vind hem – kan ik dat zeggen zonder dat ik te ver ga? – geniaal.'

'Mmm,' zei Clark.

'Hij is klein voor zijn leeftijd. Alle voedingsstoffen gaan linea recta naar zijn hersenen. Maar ach, wat maakt het uit dat-ie niet kan zwemmen? Dat-ie zich niet aan een rekstok kan optrekken? Kon Einstein zwemmen? Kon Amerigo Vespucci zich aan een rekstok optrekken?'

Op dat moment blies de badmeester op zijn fluitje. Hij heette Gundars, was een magere immigrant met een ondoorgrondelijk accent en had zijn officiële rode windjack helemaal tot bovenaan dichtgeritst. Iedereen onderbrak zijn bezigheden en keek naar hem; de mensen vroegen zich af of ze zouden kunnen verstaan wat hij te zeggen had.

Gundars schoof heen en weer in zijn stoel, schraapte zijn keel en riep: 'Folwasse swemme!'

De kinderen kermden. Ze wreven in hun ogen en hesen zich uit het zwembad. Tegelijk rolden verscheidene corpulente volwassenen als grote vleesklompen het bad in en begonnen baantjes te trekken. Een groep jonge moeders was in het diepe aan het watertrappen en praten; hun felgekleurde badmutsen leken op een mand geverfde eieren.

Judy schraapte haar keel. 'Hoe dan ook,' vervolgde ze, 'James is klein voor zijn leeftijd. U weet het waarschijnlijk nog niet, maar hij gaat in het najaar naar de middenschool waar u werkt.' Waarop ze na een korte stilte onverwacht uitbundig liet volgen: 'Gewéldig, vindt u niet?' Ze praatte op een geacteerde, onnatuurlijke manier, alsof ze voorlas van enorme tekstkaarten boven Clarks hoofd.

'Ja,' zei Clark. 'Heel leuk.'

Clark keek naar het intense blauw van het zwembad en voelde er een haast roofzuchtig verlangen naar opkomen. Het bad zwaaide als een portret aan een haak heen en weer voor zijn ogen. Hij likte aan zijn lippen en stelde zich voor hoe het ijskoude water van het diepe tegen zijn brandende huid zou voelen.

'Ik wil u om een gunst vragen,' zei het meisje. Ze legde haar hand op zijn arm, en hij kreeg een schok van de kou en keek haar aan. Ze zette haar zonnebril af en keek terug met grote, oliezwarte ogen met vale kringen eronder, de vermoeide ogen van een volwassene. 'Hij wordt namelijk soms gepest. Nou ja, eigenlijk voortdurend. Ik zit volgend jaar in de bovenbouw. Dan kan ik geen oogje meer op hem houden. Zou u dat kunnen doen? Zou u hem willen begeleiden, zoals u vorig jaar met mij hebt gedaan?'

Clark keek naar het volleybalveld, waar een stel oudere jongens op het onnatuurlijk kleine ventje afliepen en gebaarden dat ze de bal wilden hebben. Het jongetje gaf hem niet af, maar klemde hem nog steviger tegen zich aan. De oudere jongens zetten een voor een hun honkbalpetten af en begonnen James ermee op zijn hoofd te slaan.

'Goed,' zei Clark. 'Het is sowieso mijn werk.'

'Nee,' zei Judy. 'Het moet iets verder gaan dan dat. Een speciale regeling.'

'Ja, ja,' zei Clark, en hij zette enigszins wankel koers naar de lage duikplank, 'ik beloof het, hoor.'

'Dank u,' zei Judy stralend. Ze zwaaide met de poster naar hem. 'Beloofd is beloofd!' En ze begon de heuvel op te klauteren, op weg naar haar broertje. Op een paar passen afstand bleef ze staan. 'Vergeet zijn naam niet, hè!' riep ze over haar schouder. 'James. James Nye!'

Clark zwaaide en knikte en richtte zijn aandacht op het bad. Hij stak zijn teen in het water. Het was koel en bedwelmend, tropisch blauw. Als hij er eenmaal in zat, zou hij dat hele rotding leegdrinken.

Hij lachte naar de watertrappende vrouwen vlakbij en merkte toen dat hij de touwladder naar de duikplank beklom. Terwijl hij over de stroeve plank liep, kaatsten de trillingen door zijn lijf en in het lichtbrekende water onder hem lachten de vrouwen met oplichtende wangen, watertrappend als cherubijntjes die vastzitten in de smog. Hij sprong één keer, twee keer op en neer. Voelde zijn huid wegzakken en terugveren. En toen hij sprong, was hij zich scherp bewust van het gevoel van gewichtloosheid, van niets. Want het was hetzelfde gevoel dat hij al had sinds ze op Quail Hollow Road nummer 12 woonden, een gevoel niet te stijgen en niet te dalen, een gevoel niet helemaal zichzelf te zijn, er niet helemaal te zíjn.

# Barbecue

'En dit...' – Charlotte draaide zich naar hem toe en gebaarde met uitgestrekte hand naar hem – '... is mijn fantastische echtgenoot, Clark.'

Het oude echtpaar keek omhoog en kneep de ogen half dicht. Clark vouwde zijn armen over elkaar en haakte ze weer los. Ze waren zo verbrand dat ze de kleur van mango's hadden. Zijn voorhoofd ook; hij had zijn haar met pommade achterovergekamd omdat de huid bij elke aanraking pijn deed.

'Je bent zo lang dat ik je niet goed kan zien,' zei de oude man. Er zaten vetvlekken op zijn bril. 'Waar woon je, Clark?'

'In het huis van de familie Lippet!' schreeuwde zijn vrouw voordat Clark antwoord kon geven. 'Dat zeiden ze net. Ze zijn hier afgelopen winter gekomen. Ze wonen in het huis dat van Bob en Marion Lippet is geweest.'

Clark boog naar voren en zorgde dat hij zichzelf nergens aanraakte. 'Bob en Marion Lippet?' vroeg hij. 'Wat waren dat voor mensen?'

De oude vrouw keek naar hem op en wachtte tot zijn vraag naar beneden was gedwarreld. Een wolk barbecuerook walmde naar hen toe en waaide door het hek waardoor Clark en Charlotte zojuist waren binnengekomen. Een groep van zo'n vijfentwintig keurig uitziende mensen had zich op het perfecte gazon binnen het hek verzameld.

Charlotte was dolblij geweest toen ze het onpersoonlijke kopietje met de uitnodiging voor de barbecue in hun brievenbus had gevonden. Ze waren nog nooit eerder door andere buurtbewoners uitgenodigd. Ondertussen had Clark naar de heuvel gekeken die hij straks moest beklimmen. Zijn zonverbrande huid deed overal pijn en hij wist opeens heel zeker dat deelname aan een buurtbarbecue wreed en ongewoon zou zijn. Hij wilde geen nieuwe mensen leren kennen. Hij had er geen zin in. Als een ontmoeting was voorbestemd, kwam je de ander wel onverwachts in een regenbui tegen. Maar haar gezicht had gestraald en hij kon haar meisjesachtige blikken nooit weerstaan. En het was natuurlijk ook best eenzaam om de Nieuwe Bewoners te zijn en je verloren te voelen in je eigen buurt.

'Bob en Marion Lippet,' zei de oude vrouw. 'Ik dacht dat hij scheikunde had gestudeerd, en zij gaf muziekles. Heel aardige jonge mensen. We vonden het allemaal erg jammer dat ze weggingen. We hadden het niet verwacht. Ze hebben geen afscheid genomen. Ze zijn gewoon weggereden. Niemand weet waar ze naartoe zijn gegaan.'

'Net als hun voorgangers,' zei de oude man. 'Dat stel dat altijd ruzie had. In de zomer kon je ze horen.'

'Dat moet je niet zeggen,' zei de vrouw. 'Puur toeval.'

'En het stel dáárvoor,' zei de man. 'Was dat ook toeval? Je zou er haast wat van gaan denken.'

Clark hield zijn hoofd schuin. 'Wat?' vroeg hij.

'En Marion Lippet was verpleegkundige,' zei de oude man.

'Marion Lippet was muzieklerares,' zei zijn vrouw. 'Ze had altijd een stukje hars in haar zak.'

'Marion Lippet was verpleegkundige,' zei de oude man. 'Ik weet het zeker.'

Clark keek van de een naar de ander.

'Marion Lippet was muzieklerares,' zei de oude vrouw. 'Er stond een kleine vleugel in de woonkamer. 's Middags hoorde je altijd muziek. Kindermuziek. Toonladders. *Für Elise*. De vlooienmars. Altijd kinderen over de vloer, maar geen eigen gezin.'

'Marion Lippet kon geen kinderen krijgen,' zei de oude man.

'Bob Lippet had ernstige brandwonden opgelopen,' zei de oude vrouw. 'Knappe man, met van die Ierse trekken. Een breed, intelligent voorhoofd en glanzende blauwe ogen. Maar als kind had hij een afschuwelijke brand meegemaakt en zijn lichaam was tot aan zijn hals bedekt met littekens. Het leek wel of hij een pak van littekens aanhad. Soms droeg hij handschoenen om te voorkomen dat kinderen bang werden als ze bij Marion op muziekles kwamen.'

'Marion dronk iets te veel.'

'Marion dronk als een spons. Maar het waren alleraardigste mensen. Iedereen heeft zo zijn proble...'

'Fiorello!' riep de oude man. 'Zo heetten hun voorgangers. Ook met de noorderzon vertrokken.'

'Hè, hou op,' zei zijn vrouw.

Ze keek glimlachend omhoog naar Clark.

Clark keek naar het oude echtpaar en na een paar tellen glimlachte hij terug. Tot zijn verbazing had hij het naar zijn zin. Hij vond het leuk om meer over Bob en Marion Lippet te weten te komen. Hij mocht hen wel. Opeens kwamen ze voor hem tot leven, en hij besloot dat hij hen mocht. In gedachten zag hij Bob door het huis lopen en peinzend zalf op zijn armen smeren. In zijn fantasie wiegde de onvruchtbare Marion in een ragdunne, door de zon verlichte jurk op de maat van een melodie heen en weer. En toen gingen ze weg, een mysterieuze, dramatische finale waarbij haarspelden op de vloer achterbleven en muziek tussen de dakspanten wegstierf. Nu Clark erover nadacht, had hij het gevoel dat er muziek was achtergebleven. En toen Charlotte haar arm door de zijne haakte, dacht hij ook aan de vrouwenschaduw die hij langs de deuropening had zien glijden. *Je zou er haast wat van gaan denken.*

'Nou,' zei Charlotte, die het gesprek niet had gehoord. 'Ik denk dat ik maar eens een hamburger ga halen.' Ze staarde naar de mensen op het grasveld. Een kind rende met een brandend sterretje voorbij. Een jonge vrouw met glanzend haar holde een paar meter achter hem aan en zei: 'Niet in je mond stoppen, Freddie.' Ze glimlachte, veegde haar haar uit haar ogen en liep met een zucht achter haar kind aan.

'Loop je mee, Clark?' vroeg Charlotte. 'Dan kunnen we

nog meer buurtgenoten begroeten. Het lijkt me leuk om nog meer mensen te leren kennen.'

'Nee.' Clark keek glimlachend omlaag naar het oude echtpaar. 'Ik blijf hier, bij...'

'Edith en Stan.'

'O,' zei Charlotte. 'Oké.' Ze boog zich naar de oude man. 'Kunt u me vertellen wie meneer en mevrouw Girgis zijn?'

De oude man wees op de gastheer en de gastvrouw, die bij de barbecue stonden en kleding in felle primaire kleuren droegen. De bevallige mevrouw Girgis was net nog in een wolk van frisgewassen geur langsgelopen en bij het zien van haar dansende kapsel was Charlotte meteen weg van haar geweest. Ze was zo'n meisje met wie andere meisjes op school graag gezien wilden worden, zo'n meisje dat Konijn Charlotte nooit tot haar vriendinnen had kunnen rekenen. Heel even zag ze hen in gedachten in de boomgaard appels naar elkaar gooien. Ze liet Clark aan de zijlijn staan en ging zich voorstellen, want dit was de buurt waarvan ze ooit had gedroomd, een buurt die haar nu zomaar op een presenteerblaadje van gras werd aangeboden. Dit was de gewenste zekerheid, het ergens bij horen, het droomleven zonder verrassingen. Dit was de kring van huifkarren. Een toevluchtsoord dat werd gemarkeerd door de geur van creosoot en insectenspray.

Charlotte voelde de bries op haar blote armen en liep glimlachend over het grasveld. Ondanks alles om haar heen – de bries, de creosoot – kreeg ze heel even het nare gevoel dat ze voor de klas moest komen. Dat ze naar het bord liep om de aanwijsstok over te nemen van mevrouw Lines, die voor de wereldkaart stond. Want waar lag Oman? Ze wist het nog steeds niet. En heette die lerares echt mevrouw Lines of was de naam alleen maar een associatie met al die *red lines* in haar schrift, die nijdige rode krassen, al die beschamende fouten? Bij het zien van haar gecorrigeerde werk werd Charlotte vroeger altijd duizelig. Ze hebben het door, dacht ze dan. Ze zien de zwakke plekken die me maken tot wat ik ben. Zelfs in de ogen van mijn eigen moeder ben ik afstotelijk.

En toen kwam even plotseling het moment dat ze door de fijne, smalle hand van de glimlachende Meg Girgis naar het heden werd getrokken, weg uit haar gedachten, terug in de kring. Een man met rossig haar kwam met een kind op zijn heup uit een wolk rook aanlopen. Mevrouw Lines verschrompelde weer tot een zacht gefluister en binnen de kortste keren maakten Charlotte, de gastheer en gastvrouw als oude vrienden plezier met elkaar. Meg Girgis, een tennistype met ravenzwart haar, haalde het kind van haar mans heup en zette het op het gras.

'Is je man er ook, Charlotte? Is het die lange man die bij Stan en Edith staat?'

'Ja,' zei Charlotte. Ze draaide zich om en zwaaide. 'Clark!'

Clark hoorde haar niet. Bij het hek was hij nog steeds in gesprek met de twee oude mensen, die op hun tenen stonden om naar hem te luisteren. Charlotte schraapte haar keel.

'Clark!' riep ze nog eens. Ze draaide zich weer om. 'Nou ja, niks aan te doen,' zei ze.

'Hebben jullie kinderen?' vroeg Meg.

'God, nee,' zei Charlotte. Ze schudde haastig haar hoofd. 'Ik bedoel, nog niet.'

Meg wendde zich tot haar man. 'Charlotte en Clark zijn pas in het huis van Bob en Marion Lippet komen wonen.'

'O,' zei Glen. Op zijn gezicht verscheen een bezorgde, nieuwsgierige blik. 'Hoe gaat het? Alles naar wens?'

'Ja hoor, het gaat prima,' zei Charlotte.

'We hoopten al dat jullie zouden komen,' zei Meg vriendelijk.

'We hadden het niet willen missen,' zei Charlotte. 'We kennen hier nog niemand. Geen levende ziel. We zitten gewoon in dat huis naar elkaar te staren. Het is alsof we in een soort kijkkastje gevangenzitten. Help, help! Laat ons eruit!'

Meg en Glen schoten niet in de lach, maar glimlachten. Ze waren echt erg aardig. Charlotte draaide zich om en probeerde Clarks aandacht weer te trekken, maar hij ging nog steeds op in zijn gesprek met het oude echtpaar. Sterker nog, het oude echtpaar hing met grote ogen aan zijn lippen. Er ging een huivering door Charlotte heen.

'Zo zo,' zei Meg. 'Die Clark van jou is kennelijk een heel interessante man.'

'Dat is hij zeker,' zei Charlotte. 'Ik vraag me af wat hij daar allemaal te bepraten heeft. Ik ga hem wel even halen. Ik wil hem graag aan jullie voorstellen.'

Tijdens haar wandeling over het perfecte Girgis-gras zag ze haar man in de schemering gebaren. Toen ze bij hem

kwam, trok ze aan zijn mouw. Ze wilde vragen of hij zich
even kon excuseren, maar ze slikte de woorden in. De bejaarden keken Clark met open mond aan. Ze hieven niets-
ziend hun ogen naar haar op. De bril van de oude man was
naar het puntje van zijn neus gegleden. Clark ging rechtop
staan en krabde aan zijn wang.

'Ik was Edith en Stan een verhaal aan het vertellen,' zei
hij.

De oude vrouw greep Charlotte bij de elleboog en legde
haar andere hand op haar hart.

'Niet te geloven,' fluisterde ze. 'Dat hij dat heeft overleefd!'

De man haalde diep adem. 'Een landkaart in een taart
verstoppen. Hoe verzin je het.'

'Wat?' zei Charlotte.

'De Revolutie!' brulde de man, die een hoge borst opzette.
Een paar andere gasten draaiden zich naar hen om. 'Dat
jouw man kon voorkomen dat de Revolutie mislukte!'

Clark krabde weer aan zijn wang.

'Vertel alsjeblieft verder,' smeekte de vrouw. 'Je ging weg
uit de gevangenis toen je de taart bij de generaal had afgeleverd...'

'Welke generaal?' vroeg Charlotte lachend. 'Welke taart?'

Ze werd draaierig. De Revolutie! Natuurlijk. Ze keek om
zich heen, alsof Vera elk moment tussen de rododendrons
vandaan kon komen, haar handen zou afkloppen en zou
zeggen: *Ik vertel wel verder!* Dit verhaal was een van haar
klassiekers, een van haar fantasieën. Had Clark het nu her-
schreven met zichzelf in de hoofdrol? Charlotte wreef met

de rug van haar pols over haar voorhoofd. Opeens leken de hemel en de lucht te benauwd – een doosje waarin ze was opgesloten.

Op dat moment stapte Meg Girgis met kordate stappen van de veranda, en haar perfect gebruinde knieën bewogen onder haar plastic schort toen ze over het gras naar hen toe liep. Charlotte zag haar naderen en verstijfde. Met zo'n vrouw zou ze nooit bevriend kunnen zijn. Ze draaide zich haastig om en botste tegen haar man op, die er met zijn zonverbrande huid slechts vaag bekend uitzag. Zijn ogen waren hemelsblauw en achter hem leek de lucht als gelei rond te glijden.

'We gaan,' zei Charlotte. De oude mensen protesteerden en staken hun armen naar hen uit terwijl ze haastig door het hek liepen en de heuvel afdaalden, naar het huis waarin Bob en Marion Lippet hadden gewoond.

# Overbodige luxe

'Vind je hem niet mooi?' vroeg Clark. 'Ik heb hem heel voordelig kunnen krijgen.'

Charlotte stond met een uitdrukkingsloos gezicht naar de glimmende machine te kijken. Ze knipperde tweemaal met haar ogen en fronste haar voorhoofd. Ze was net thuisgekomen van haar werk. De zomerhemel achter haar werd donkerder blauw. Ze deed haar pumps uit en bleef in de tuin staan zonder iets te zeggen.

Clark keek naar haar. 'Ik heb hem heel voordelig kunnen krijgen, zei ik. Nazomeruitverkoop.'

'Ik wil niet weten hoeveel-ie heeft gekost,' zei ze.

'Raad eens.'

'Ik wil niet raden. Ik hou niet van raden. Laten we de zaak niet opblazen. Het kan me niet schelen. Ik wil naar binnen, waar geen insecten zijn.'

'Driehonderd dollar,' zei hij, en Charlotte schrok van het bedrag en deed haar ogen dicht. 'Eigenlijk kostte hij het dubbele. Kijk,' hij klopte op het zadel, 'stuurbekrachtiging, vierwielaandrijving. Je zou er zo de snelweg mee op kunnen.'

'Ik wil een gin-tonic,' zei ze. 'Ik wil binnen zitten en hem daar opdrinken, waar geen insecten zijn.'

'En moet je zien,' zei hij, en hij pakte haar bij haar pols en trok haar naar de andere kant. 'Roestvrijstalen casco, en bumpers, net als een auto. O ja, en een ingebouwd opvang-systeem. Kijk, het gras wordt daar onder de rotor vermalen,' hij wees vaag ergens onder de grasmaaier, 'en dan gaat het door deze buis en komt het in deze zak terecht, en die komt onderaan uit in deze goot, en als je die omhoog doet...' Hij zette kracht om de hefboom in beweging te krijgen en zijn T-shirt gleed omhoog over zijn rug. 'Als je die omhoog doet...'

Charlotte draaide zich om en ging naar binnen.

Hij liep achter haar aan naar de keuken.

'Je vindt hem niet mooi,' zei hij.

'We hebben hem niet nodig,' zei ze. 'Het is een overbo-dige luxe.'

'Tja, als je het zo bekijkt, hebben we die oven ook niet echt nodig. En ook geen stoelen of bedden of waterleiding. Wat zeg ik, we hebben dit hele húís niet nodig. Een huis is een overbodige luxe. We zouden ook onder de blote hemel kunnen leven, als antilopen.'

Charlotte had haar speciale glas in haar hand, zonder iets erin. Hij stond tussen haar en de vriezer in.

'Ik kan hem wel terugbrengen als je het echt een stom ding vindt,' zei Clark. 'Als je erop staat.'

'Ik wil graag een paar ijsblokjes,' zei Charlotte.

'Wat een overbodige luxe.'

Hij ging aan de kant.

'Je vindt het dus niks,' zei hij.

Ze liep langs hem heen, pakte een paar witberijpte ijs-blokjes uit het bakje en deed ze in het glas. Ze schonk een beetje gin in, schroefde driftig de dop weer op de fles en keek hem aan.

'Wat héb jij toch de laatste tijd?' vroeg ze.

'Hè?' zei hij. 'Ik? Hoezo?'

'Je doet zo raar. Je loopt als verdoofd rond. Je spookt 's nachts door het huis. Je doet rare dingen.' Ze keek naar haar glas. 'Ik heb het gevoel dat je er niet echt bént.'

'Maar ik ben er toch!' Clark lachte hartelijk.

'Waar ben je mee bezig?' zei ze. Ze gebaarde naar hem met het glas gin. 'Een gemotoriseerde grasmaaier? Een peu-terzwembadje? Vorige week heb je een peuterzwembadje gekocht, Clark.'

'Ja, en?' zei hij.

'Is het voor jezelf?'

'Ik zit er soms in. Om af te koelen, het is hier zo gruwe-lijk warm.'

'Maar je gaat toch naar het zwembad om af te koelen?' zei ze. 'Je gaat elke dag naar het zwembad. Het enige wat jij doet is naar het zwembad gaan en sandwiches met mayonaise eten. Die sandwiches, daar wil ik je ook al wekenlang op aanspreken. Dat is raar.' Ze nam het glas in haar andere hand. 'Ik bedoel, ik wil het graag begrijpen. Is het iets... iets wat...' – ze keek weer naar haar glas – '... wat je moeder altijd voor je maakte? Is het jouw manier om... om te verwerken dat ze er niet meer is? Probeer je op die manier een gevoel van vroeger te revitaliseren?'

'Há,' zei Clark. 'Waar haal je dat soort woorden vandaan?'

'Uit de boeken naast jouw bed. Van je avondcursus.'

'Het zijn academische woorden, Charlotte. Geen woorden voor mensen.'

Ze keek hem doordringend aan.

'Je hebt tegen die oude mensen staan liegen,' zei ze. 'Op die barbecue.'

'Ach nee, alsjeblieft. Niet dat weer.'

'Waarom heb je tegen ze staan liegen, Clark? Dat begrijp ik niet.'

'Ik verveelde me. Ik vervéélde me! Ik verveel me zelfs nu ik alleen maar aan die stomme picknick dénk. Al die stomme dingen. Barbecues. Huishoudelijk werk. Schilderen. Afstoffen. Oudergesprekken. Het is allemaal bezigheidstherapie. Het is shit. Fantasieloze shit.'

'Maar het is het leven!' riep Charlotte. 'Jouw leven. Een goed leven.'

Hij liep een klein rondje en bleef staan op de plek waar hij eerst ook had gestaan.

'Kunnen we dit onderwerp nu afsluiten?' vroeg hij.

'En als ze er nou achter komen dat je hebt gelogen? Wat zullen de mensen van je denken?'

'Ze kunnen de pot op,' zei Clark. 'Het was grappig. Het was een grapje. Om te lachen.'

'Maar het was een leugen. Een verzinsel. Dat begrijp je toch wel?' Charlotte raakte zijn hand aan, maar hij trok hem weg.

'Natuurlijk begrijp ik dat,' zei hij, en hij trok aan de hals van zijn T-shirt. 'Het was niet mijn bedoeling het delicate evenwicht in het heelal te verstoren.'

'Hou op,' zei Charlotte. Haar ogen stonden glazig. 'Vroeger praatten we nooit zo. Toch? Tegenwoordig herken ik je soms niet meer. Het is gekomen sinds we hier wonen. Voel jij dat ook niet? Die rare sfeer hier.'

Ze stak haar hand uit en Clark ging net buiten haar bereik staan. Hij keek haar over het aanrecht heen aan en gebaarde naar haar glas.

'Als je nog een stuk of zes van die cocktails drinkt, komt alles helemaal goed.' Hij lachte ruw. 'En hou op met het heilige boontje uit te hangen, Charlotte. Heb jij nooit gelogen? Jij hebt me jouw grote geheim pas verteld toen we al verloofd waren. Weet je nog? Je hebt me een hele tijd in de waan gelaten dat je de dochter van twee bejaarde Italianen was. Dat is ook een behoorlijk grote leugen, toch? Dat vond ik toen behoorlijk verwarrend.'

Nu deed Charlotte een stap achteruit. Op haar gezicht stond zo'n grote teleurstelling te lezen dat Clark zijn hand voelde trekken, alsof hij zichzelf een klap in het gezicht wilde geven. Het glas gin hing slap in haar hand en er drupte wat van de drank op de linoleumvloer. Ze draaide zich om en liep zonder nog iets te zeggen de donkere huiskamer in.

Clark stond met gespreide handen als iemand die valse-
lijk van diefstal is beschuldigd. Om hem heen zoemden
de apparaten werkeloos. Hij leunde tegen het aanrecht en
wreef over zijn hoofd. Ze had gelijk, maar wat dan nog? Hij
voelde zich al een tijdje raar. Moe. Verlamd. Van alle kanten ingesloten, alsof hij in een greppel woonde. Hij had in
geen weken meer een hele nacht doorgeslapen. Overdag
was hij vermoeid, de eenvoudigste dingen vielen hem zwaar
en wat die sandwiches met mayonaise betreft: die waren gewoon het makkelijkst klaar te maken.

Maar wat nog veel erger was: zijn redeneervermogen was
aangetast; hij kon werkelijkheid en inbeelding niet meer uit
elkaar houden. Hij dacht aan de vrouwelijke gedaante die
hij langs de slaapkamerdeur had zien lopen en waarvan hij
had besloten dat het een schaduw van de bomen was. Later
had hij gemompelde woorden gehoord in de provisiekamer,
en in de logeerkamer in een flits een naakte dij gezien die
was verdwenen toen hij nog een keer keek. Pasgeleden was
hij 's nachts wakker geworden van iets wat klonk als een
man die zijn neus snoot, maar toen hij luisterde hoorde hij
niets meer. Hoe kon hij dat uitleggen aan Charlotte, de koningin van het gezonde verstand? Ze zou denken dat hij gek
was. Wás hij dat? Hij gooide een vaatdoek in de gootsteen.

'Verdomme,' zei hij in het lege vertrek.

Hij keek naar de grasmaaier in de achtertuin. Het was
een overbodige luxe. Hij probeerde te bedenken wat hem
ertoe had bewogen het ding aan te schaffen. Hij was van plan
geweest iets nuttigs te doen, een schop of goudsbloemzaad

te kopen voor Charlottes hypothetische tuin. Maar de verkoper had hem die maaier laten zien. Nieuwe machines wasemden altijd een bepaalde geur uit. Ze roken naar belofte en bedrijvigheid. Als kind had hij een keer samen met zijn vader een reeks fabrieksnieuwe auto's gezien die op een lopende band uit de hangar kwamen rollen, de een nog glanzender dan de ander. Toen hij die maaier zag, had hij zichzelf al in het zadel zien zitten en gedacht: ben ik niet het soort man voor wie zulke uitvindingen worden gedaan?

'Charlie?' riep hij naar de donkere huiskamer. 'Ben je daar?'

Ze reageerde niet, maar hij hoorde haar ademhaling. Haar tanden tegen het glas. Het laatste oranje zonlicht scheen door de bomen in de boomgaard.

'Volgens mij ben je de tonic vergeten,' zei hij.

Hij stapte ook het donker in en zocht naar de lichtschakelaar, maar kon hem niet vinden. Hij schopte tegen een stoelpoot. Toen had hij, in een oogwenk en volledig, het gevoel alsof hij in het huis van zijn ouders was, alsof hij als kind in hun donkere huis rondliep. Hij probeerde zich tegen de gewaarwording te verzetten, maar de jaren vlogen weg en hij stond een boterham met pindakaas te eten in die verre keuken. Buiten regende het zachtjes en in zijn oren klonk het getik van de oude vertrouwde klok in de vorm van een kattenkop.

En terwijl hij daar stond, gevangen in de duisternis, onthulde de herinnering zich ten volle. Want daarginds in het donker was toen het volgende gebeurd: zijn voet was ergens tegenaan gekomen. Geen stoel. Iets anders. Hij keek omlaag; een gedaante maakte zich los uit de schaduwen. De boterham met pindakaas tuimelde door de lucht en viel geluidloos op de grond naast het lichaam van zijn moeder. Haar ogen waren dicht, haar gezicht was een beetje vettig van de make-up en ze had het groene hoedje op dat hij haar voor Kerstmis had gegeven. Het was alsof ze zich had opgetut en vervolgens daar op de vloer was gestorven, nadat ze haar armen netjes over haar hart had gekruist. Met ingehouden adem wankelde hij achteruit. Hij merkte dat zijn achterhoofd pijn deed en besefte dat hij achterwaarts tegen de muur was gebotst in zijn poging zich van het lichaam te verwijderen, waarna hij naar links strompelde en een lamp van de tafel stootte, die met een blauwe lichtflits op de vloer kapotviel. Op dat moment gingen de ogen van zijn moeder open. Ze draaide haar hoofd opzij en lachte hem toe.

*Niets aan de hand, jongen,* zei ze, en ze ging overeind zitten. *Niets aan de hand. Ik deed maar alsof.*

Een lamp verlichtte de kamer.

'Het is hier donker,' mompelde Charlotte, en ze keek weer uit het raam.

Clark duwde zich weg van de muur. Zijn ogen wenden aan het licht, de kamer herstelde zich en hij zag nu duidelijk Charlotte in het lamplicht in een stoel bij het raam zitten. Zijn haargrens was vochtig van het zweet. Hij voelde behoedzaam met zijn voet over het kleed.

'Alles goed met je?' vroeg ze zonder zich om te draaien.

Hij plofte in een stoel naast haar. *Moeder is dood,* zei hij bij zichzelf. *Iedereen die dood is, is dood. En er is hier niemand behalve wij. De rest is zinsbegoocheling.* Hij keek naar Charlotte. De zon was inmiddels helemaal onder. Hij kon geen enkele manier bedenken om aan het verhaal te beginnen.

# Doen alsof

Clark ging op een stoel achter in het lokaal zitten en keek om zich heen. Voor de klas werd het gezicht van Gordon Stanberry verlicht door de overheadprojector. Op het bord achter hem waren de woorden 'Welkom terug' gekrabbeld.

Clarks collega's kwamen hem slechts vaag bekend voor. Wie waren al die gebruinde, seksueel bevredigd kijkende mensen? Tijdens het schooljaar waren diezelfde vrouwen stug en bleek, en Clark was in de lerarenkamer vaak apart gaan zitten om hun nerveuze, speekselrijke, door salade besmeurde gekwebbel te ontlopen. Nu herkende hij ze nauwelijks. Ze leunden met hun grote gebruinde armen op de leerlingentafels en keken af en toe nieuwsgierig glimlachend over hun schouder naar hem, alsof het nog maar net tot hen was doorgedrongen dat hij een man was. Hij had moeite zijn aandacht bij het verhaal van Stanberry te houden, die bezig was aan een hoogst ingewikkelde opsomming van regels en voorschriften voor het aanstaande schooljaar, die een oneindig aantal variaties kenden: op rode dagen lunch om twaalf uur, op groene dagen geen gym, op oranje dagen brandoefening, op gele dagen trekken we allemaal onze broek uit. Clark staarde uit het raam.

Het werd met de minuut erger. Het lokaal was klein en benauwd, zijn ademhaling ging steeds sneller en hij zwolg even in de overtuiging dat Stanberry de deur had vergrendeld. Rode dagen gele dagen a-ha-ha-ha. Pas die ochtend, toen Clark op tijd moest opstaan voor de personeelsdag, had hij beseft wat een gigantische onderneming opstaan kon zijn – een bovenmenselijke prestatie. Hij keerde met een schok terug naar het hier-en-nu. Zou het iemand opvallen? Zou iemand de wallen onder zijn ogen zien, en de onversneden paniek die op zijn gezicht te lezen stond? Hij had het gevoel dat hij bezeten was.

Een paar avonden geleden was zijn gevoel van desoriëntatie in het huis zo sterk geworden dat hij zijn zus Mary had gebeld, die hem vrijwel nooit een welwillend luisterend oor bood. Hij wilde haar heel voorzichtig vragen of zij de laatste tijd ook slaapproblemen had, of zij zich als gevolg daarvan ook dingen was gaan afvragen over de verschillen tussen slapen en het wakker-zijn, of zij zich wel eens niet zozeer Mary voelde als wél een balorige stand in die de rol van Mary speelde. Had zij genies gehoord in haar provisiekamer? Iemand verderop in de gang tevreden horen boeren? Had zij ook het gevoel dat ze een beetje getikt aan het worden was? Maar toen hij had gebeld, had haar agressieve echtgenoot Jerome de telefoon aangenomen en 'Ja? Hallo?' geroepen, en nadat Clark snel had opgehangen, had hij zich

een enorme harige hand voorgesteld die door het slaapkamerraam van Jerome kwam en hem aan zijn voet naar
buiten trok. Hoe hij dat allemaal voor Charlotte verborgen
had kunnen houden, was hem een raadsel. Hij wilde graag
geloven dat zij ook geluiden in huis hoorde. Maar zo niet,
wat dan? Dat knipperen met haar ogen, die niet-begrijpende,
starende blik. De eenzaamheid van de waarheid. *Je bent gek.*

'Meneer Adair?'

Hij keek op. Mevrouw Ormerod, de oude lerares gezond-
heidsleer, stond over hem heen gebogen.

Clark keek om zich heen.

'Is het afgelopen?' vroeg hij.

Mevrouw Ormerod lachte. Er was niemand anders meer
in het lokaal.

'O god,' zei Clark, en hij wreef in zijn ogen.

'U moet aardig diep in dromenland zijn geweest,' zei
mevrouw Ormerod. 'Of u bent door Stanberry's verhaal in
coma geraakt.' De oude vrouw leunde hoofdschuddend op
Clarks tafeltje. 'Kom. We gaan. Kunt u me misschien een
lift geven? Ik woon dezelfde kant op als u.'

Clark keek naar het witte haar van mevrouw Ormerod.
Hij mocht haar wel. Ze had een plastic mensenromp die ze
tijdens het schooljaar onder haar arm droeg, met kleine
rode eierstokken en een echte anusopening, waarin ze om
de een of andere pedagogische reden op gezette tijden
een flessenrager stak. Ze was de afgelopen winter een van
de weinige leraren geweest die aardig tegen hem deden
toen hij voor de zieke meneer St. Paul was ingevallen. Clark

knikte, en ze liepen door de lege gangen het felle nazomer-
zonlicht in.

Samen reden ze langs de kleine huizen van Clementine,
langs de winkels op straathoeken waarvoor kinderen met
oranje en paarse ijslolly's stonden die hen nastaarden, en ze
klommen over een slingerende weg omhoog uit het kleine
dal waarin het stadje was gebouwd. Groepjes mensen zaten
in de schaduw van lage bomen, pakten dingen uit koelboxen
en praatten zacht. Elke straat leek een soevereine staat en
de mensen zagen er stuk voor stuk normaal en opgewekt
uit, maar alles bij elkaar kon Clark dit stadje nooit helemaal
doorgronden. Twee kinderen op de fiets schoten plotseling
de straat over.

'Bevalt het u hier tot nu toe?' vroeg mevrouw Ormerod.

'Ja, hoor,' zei Clark terwijl hij hard remde. Hij knikte en
dacht koortsachtig na wat hij moest zeggen.

'Het is lastig om de nieuwelingen te zijn. Om ertussen te
komen.'

'Ja,' zei Clark. 'Dat klopt.' Hij keek uit het raampje, en
daarna naar mevrouw Ormerod. 'U bent lerares gezond-
heidsleer, hè? Ik heb een vraag voor u.'

'Voor de draad ermee,' zei de oude vrouw. 'Gaat het over
seks?'

'Niet echt,' zei Clark. 'Bestaat er een ziekte die als een van
de symptomen...' – hij grijnsde, als om zijn eigen vraag in
twijfel te trekken – '... hallucinaties heeft?'

'Jazeker,' zei mevrouw Ormerod. 'Seniliteit bijvoorbeeld.'

'Nee, nee,' zei Clark. 'Voor iemand van mijn leeftijd. Stel

dat iemand van, zeg, mijn leeftijd vaak in de war is. Hij slaapt niet goed en loopt de hele dag te tobben. U weet wel. Soms is hij zo moe dat hij nauwelijks kan luisteren als mensen dingen zeggen. En zijn geest is lui en een beetje apathisch en slaat op hol van alle rare gedachten die bij hem opkomen. En dan bedoel ik écht rare gedachten...'

'Tja,' zei mevrouw Ormerod. 'Heeft hij het erg zwaar? Is er iets speciaals gebeurd? Staat hij onder stress?'

'Nee. Niet meer in elk geval. Hoezo?'

'Nou, misschien is hij gewoon verdrietig.'

'Verdrietig?' zei Clark lachend. 'Verdríétig?'

'Gestrest. In het nauw gebracht. En waarschijnlijk behoorlijk moe omdat hij niet goed slaapt. Slapeloosheid kan hallucinaties veroorzaken.' Mevrouw Ormerod lachte onzeker terug. Ze trok een tissue uit haar mouw en veegde ermee over haar voorhoofd.

Clark staarde strak naar de weg. Hij vond dat hij te veel had prijsgegeven en voelde zich beledigd door wat mevrouw Ormerod had gezegd. Nu meende ze dat ze het begreep. Ze begreep helemaal niets. Er waren díngen in dat huis. Of anders was hij bezig gek te worden. Maar als hij dat hardop zei, was hij geïsoleerd en beperkt en alleen maar 'verdrietig'. Hij herinnerde zich dezelfde soort blikken, hetzelfde medelijden van mensen die vroeger met hem over zijn moeder praatten.

Opeens boog mevrouw Ormerod zich naar voren en tuurde door haar bril.

'Moet je dat zien,' zei ze, en ze wees.

Ze naderden in rap tempo een klein gemotoriseerd voertuig in de berm dat gevaarlijk langzaam reed. De bestuurster van het geval draaide zich om, knipperde met haar ogen tegen de wind en streek met één hand haar haar naar achteren.

'O god,' zei Clark.

'Wat een rare bedoening,' zei mevrouw Ormerod, 'om in een mooie jurk op zo'n tractor te gaan rijden. Wie doet nou zoiets?'

Clark wreef hard over zijn voorhoofd.

'Kent u die vrouw?'

'Ja,' zei Clark. 'Dat is mijn vrouw.'

'Uw vrouw? Op die tractor?'

'Het is een grasmaaier,' zei Clark.

Mevrouw Ormerod deed haar mond open. Daarop stak ze haar hoofd uit het raampje en trok het weer naar binnen, precies op het moment dat ze de maaier inhaalden.

'Waarom rijdt ze in vredesnaam op een grasmaaier langs de weg?' vroeg mevrouw Ormerod terwijl ze verbijsterd achteromkeek.

Clark zei niets.

'Stop dan toch!' riep de oude vrouw. 'Rij achteruit. Laten we het haar vragen.'

Clark bracht de auto tot stilstand en reed achteruit totdat ze op gelijke hoogte met de grasmaaier waren. Charlotte zat kaarsrecht en stijfjes in het zadel met beide handen aan het stuur en haar tas over haar schouder. Clark draaide zijn raampje omlaag.

'Charlotte?' zei hij.

Ze keek naar hem. Hij had zich niet vergist, het was Charlotte.

'Hallo, Clark,' zei ze in het voorbijrijden.

Clark reed zachtjes mee. 'Hallo,' zei hij. 'Wat doe jij nou?'

'Hallo, mevrouw Adair!' riep mevrouw Ormerod vanaf de bijrijdersstoel. 'Wat leuk u eindelijk te leren kennen. Ik heb heel veel over u gehoord. We zijn op school heel blij met uw man!'

Charlotte knikte en zwaaide. Ze reden langzaam naast elkaar op, de grasmaaier puffend door de berm. Er vlogen tegemoetkomende auto's voorbij, met verbaasd starende gezichten erin.

'Waarom rijdt u op die tractor?' riep mevrouw Ormerod.

'Het is een grasmaaier,' zei Charlotte. 'Een Power C-465 met instelbare rotor.'

'Mooi ding, hoor.'

'Clark heeft hem bij de Agway gekocht. Hij was heel duur. We gebruiken hem nooit, dus...'

'Dus...?' zei Clark.

'Dus ik dacht: kom, ik ga er eens een eindje mee rijden. Het is eigenlijk een soort tweede auto.'

'Oké, stop maar,' zei Clark. 'Zet hem stil en kom eraf. Nu.'

'Nee,' zei Charlotte. 'Ik ben ergens mee bezig.'

'Waarmee dan in godsnaam?'

'Ik heb lol,' zei Charlotte schalks.

'Goh!' riep mevrouw Ormerod boven de wind uit. 'Ik moet ook maar gauw zo'n ding kopen!'

De twee vrouwen lachten in koor.

Clark sloeg een kordate toon aan. 'Hou hiermee op,' zei hij. 'Je bent niet gek.'

'O nee?' Charlotte boog zich zover opzij dat ze haar hand op het raampje kon leggen. Haar ketting van zaadpareltjes sloeg tegen haar hals en haar kin trilde. 'Ik heb óók problemen, Clark. Aan mijn moeilijkheden mag ook wel eens aandacht worden besteed. Jij ziet dat niet eens meer.'

'Kijk uit!' riep Clark.

Charlotte gaf een ruk aan het stuur en de maaier schoot naar rechts, net om een gat heen. Ze keek achterom. 'Jeetje,' zei ze. 'Wat stuurt dit ding goed.'

'De mensen,' riep Clark schor. 'Iedereen kan je zien.'

'De mensen!' riep Charlotte, en de schouderriem van haar tas schoot omlaag tot haar pols. 'Ik ken geen mensen. Ik ken helemaal niemand. Niemand praat met me. Deze stad is eng! Niemand zegt wat, niemand groet me of vraagt hoe het met me gaat. Dat is nog nooit gebeurd! Ik woon op een onbewoond eiland, Clark. Met jou.'

'Wat bedoel je daar in godsnaam mee?'

'Gaat het wel, mevrouw?' vroeg mevrouw Ormerod, en ze stak een hand uit.

'Ze is niet gek,' zei Clark dof. 'Ze doet maar alsof.'

'Dat is zo,' zei Charlotte. 'Ik mag nóóit de gestoorde zijn.'

'Wie wil er nou in vredesnaam gestoord zijn?' kraaide mevrouw Ormerod.

'Oordeel niet voor u het zelf geprobeerd hebt,' zei Charlotte.

Achter hen had zich een korte file verzameld die met een slakkengangetje voortkroop. De bestuurder van de voorste auto claxonneerde langdurig.

'Goed dan,' zei Clark zachtjes, en hij trok een grimmig gezicht. 'Jij je zin. Je wilt dat ik wegrijd en jou alleen achterlaat? Is dat wat je wilt? Omdat je zo ontzettend eenzaam bent?'

Charlotte wendde haar blik af en keek naar de passerende bomen. Ze streek de flapperende kraag van haar jurk glad.

'Nee,' zei ze kalm. 'Ik ben momenteel verdwaald.'

Ze bleven nog even naast elkaar rijden. Niemand zei iets. Ze begonnen aan de beklimming van een heuvel.

'Hé, buig je een beetje naar voren,' raadde Clark aan.

In zijn achteruitkijkspiegel zag hij een steeds verder aangroeiende rij auto's met reflecterende voorruiten de helling op rijden. De man achter hen probeerde in te halen, maar moest vanwege een tegemoetkomende vrachtwagen terug in de file.

'Zo meteen boven,' zei Clark, en hij wees. 'Daar kun je rechtsaf. Dan helemaal naar het hoogste punt en daar weer rechts. Weet je de weg naar huis vanaf dat boerderijtje? Vlak bij de tv-mast?'

'Ja,' zei Charlotte. 'Oké. Ja, ik geloof het wel.'

'Oké dan,' zei Clark, en hij keek behoedzaam haar kant uit.

'Oké dan,' zei Charlotte.

Ze reden nog heel even naast elkaar.

'Dus ik zie je zo thuis?' zei Clark.

'Ja,' zei Charlotte. 'Tot zo.'

'Aangenaam kennis te maken!' riep mevrouw Ormerod.

'Ja,' zei Charlotte.

Hij zag haar in zijn achteruitkijkspiegel met haar handen om het kleine stuurwiel geklemd naar de top van de heuvel stijgen. Doordat ze zo traag vooruitkwam leek het een lucht-spiegeling. Een vertekend beeld. Als iemand die uit de hitte opstijgt.

# Een volgend leven

De bejaarden leken eerder met het water te worstelen dan erin te zwemmen. Ze sloegen met lange, touwachtige armen op het oppervlak. Ze lieten hun hoofd diep in het water zakken en sleepten hun benen als een willoos gewicht achter zich aan. Als ze de rugslag zwommen, staken ze onzeker hun armen naar achteren, alsof ze achteruit een lange trap af liepen. Soms ging een badmuts helemaal kopje-onder en dook hij pas seconden later weer op, gevolgd door een solide buik of borsten die als een archipel uit het water staken. Clark zat op het grasveld naast het zwembad naar hen te kijken en besloot dat hij in een volgend leven met kieuwen geboren wilde worden. Onder water is een lichaam gewichtloos en onbelangrijk, net als in dromen. In een volgend leven wilde hij niet vastzitten aan grond en huizen en namen en andere dingen die zinken.

In die allerlaatste dagen van de zomer sliep Clark een paar uurtjes voordat het licht werd. Hij kwam bij zonsopgang uit bed en trok zijn zwembroek aan. 's Ochtends vroeg vond hij het prettig in huis. Dan was het heel rustig. Geen gehoest. Geen gehuil. De stemmen, de geesten of wat het dan ook waren werden altijd laat wakker, bijna als gewone, luie mensen. 's Ochtends lieten ze hem met rust.

Hij verliet het huis voordat Charlotte wakker werd. Hij schaamde zich inmiddels, maar dat was geen gevoel waar je iets van leerde of gezelschap bij nodig had. Als hij Charlotte slapend achterliet, liggend op haar kant van het bed, haar haar uitgewaaierd op het kussen, glimlachte ze soms in haar dromen. Hij was blij dat hij haar zag lachen en besefte dat ze glimlachte in een werkelijkheid waarin zijn aanwezigheid haar niet tot last was.

Met een handdoek over zijn schouder liep hij die ochtend door de tuin, langs de grasmaaier met het scheefhangende bordje TE KOOP aan het handvat en over het midden van de weg naar de drukke straat onder aan de heuvel. Hij hoorde zijn blote voeten op het asfalt petsen. Het had nog niet geregend en de uiteinden van de bladeren begonnen te krullen en geel te worden.

Toen hij bij het zwembad kwam, liep de hele rij keurig geklede bejaarden net naar binnen. De mannen droegen seersucker broeken en blauwe overhemden, dun en gelijkmatig als rijstpapier. Het haar van de vrouwen was gepermanent tot fijne, grijze stralenkransen en leek op bosjes heliotropen. Het raakte Clark diep dat ze zich zo netjes hadden uitgedost om naar het zwembad te gaan. Zelf was hij met ontbloot bovenlijf gekomen, wat hem nu opeens obsceen voorkwam. Over anderhalf uur was het seniorenzwemmen voorbij en mocht iedereen weer in het bad. Dan kwam het hele lawaaierige stadje – mensen zoals hij, die hun hele leven nog konden zwemmen, hun hele leven nog shirts konden uittrekken – naar het zwembad om een einde aan deze vredige rust te maken.

De bejaarden zeiden niet veel tegen elkaar en waren ook niet vriendelijk tegen hem. Dat begreep hij wel. Waarom zouden stervende mensen vriendelijk zijn terwijl ze zich eindelijk kunnen gedragen zoals ze willen?

Hij was niet gekomen om anderen lastig te vallen. Hij ging op het gras zitten en keek langs zijn voeten. Hij keek tussen zijn tenen door naar het water in het zwembad. Die nacht, zijn viermiljoenste slapeloze nacht van die zomer, was het tot hem doorgedrongen dat hij nooit over de dood had nagedacht. Hij had zich nooit afgevraagd hoe de dood werkelijk zou zijn. Aan een kind wordt de dood voorgesteld als een gestalte in een zwarte, rafelige mantel – een soort schurk. En dan, tijdens een slapeloze nacht in zijn dertigste levensjaar, ziet die persoon de maan als een fantastische beloning opkomen en bedenkt hij dat de dood gewoon een van de dingen is die kunnen gebeuren. Een van de twee neutrale mogelijkheden. Hij had opeens begrip gekregen voor de morbide inslag van filosofen en kunstenaars. Hij begreep dat de dood in de ogen van krankzinnigen iets aantrekkelijks had. Hij keek omhoog naar de lucht. Die leek heel dichtbij, maar de lucht begon toch ook vlak boven je hoofd? Waar anders? Alle doden liepen mompelend, beraadslagend en hoestend over je hoofd en je schouders.

Zijn moeder liep over zijn rug heen en weer en schreeuwde geluidloos instructies zoals het publiek in de bioscoop de held tot voorzichtigheid maant. Hij bewoog zijn stijve nek onder het gewicht.

Er kwam een kind aanlopen met een roze handdoek waar een touwtje omheen zat. Hij draalde bij het openstaande hek, praatte in zichzelf en liet zijn blik over het grasveld rond het zwembad dwalen. Toen hij zijn oog op een bepaald plekje had laten vallen, bleef hij er tijdens zijn wandeling over het plankier naar kijken. Zijn passen waren niet jongensachtig, maar ernstiger, als de tred van iemand die vaak naar wiskundige vergelijkingen staart. Achter zijn dikke bril leek hij grote konijnenogen te hebben en in zijn haar waren de sporen van de kam nog te zien. Het was het jongetje van het volleybalveld. Judy's broertje – James Nye.

Clark stak zijn hand op, maar de jongen zag het niet. Achter het zwembad stond een hoge paal waaraan een touw met een volleybal hing. James Nye legde zijn handdoek op het gras en begon tegen de bal te slaan. Zijn vuist schampte hem meestal, waardoor de bal terugstuitte en zijn bril van zijn neus sloeg. Een paar keer raakte hij hem wel, maar toen draaide de bal rond de paal en kreeg hij hem tegen zijn achterhoofd. Op die manier bleef hij zichzelf een poosje stalken. Toen hij er genoeg van had, ging hij op de rand van het diepe zitten, met zijn benen in het water.

Clark werd vrolijker van het ronddollende joch, zijn tegenhanger aan de andere kant van het zwembad, slechts van hem gescheiden door het glanzende scherm waarop voortdurend de film van de lucht werd gedraaid. Ik zou best weer kind willen zijn, dacht hij glimlachend. Dan bestaat je wereld uit kleine uitdagingen.

De jongen vouwde zijn handdoek open en haalde er twee platte gele zwemvleugeltjes uit. Hij zette een ventieltje aan zijn mond en begon te blazen, maar tegelijkertijd kneep hij de lucht weer uit het bandje. Hij zag dat Clark het proces geïnteresseerd volgde en glimlachte terug zonder hem echt aan te kijken.

Opeens stond de jongen op om naar het ondiepe uiteinde van het bad te kijken. Een oude vrouw in een badpak met een rokje sprong krijsend op en neer.

'Wat is er aan de hand?' zei Clark hardop.

De badmeester schoot uit zijn stoel en maakte een grote sprong. Boven het water renden zijn dunne benen in de lucht. Zijn rode windjack bolde op. Clark zag het bedaard aan en merkte dat hij zelfs te moe was voor drama. De jongen kwam met een harde plons in het water terecht. De oude vrouw klemde zich aan hem vast.

'Een slang,' zei ze snikkend. 'Er zit een slang in het water.'

De opeenvolgende kreten in de zwembanen schoven op als een doorgeefbericht in een mijngang.

*Een slang in het water!*

*Een slang in het water!*

*Er zit een slang in het water!*

De zwemmers keken elkaar aan en hadden opeens blossen op hun wangen. Ze keken langs hun watertrappende voeten naar beneden. Ze zagen hem, maar kregen hem door de lichtbreking van het water niet goed in beeld: de giftige, mensenetende, Noord-Amerikaanse chloorwaterslang. Daarna peddelden ze in paniek naar de trapjes. Een paar van hen waren al bezig op de kant te klimmen, maar dat ging tergend langzaam. Hun lompe, dikke voeten zochten wanhopig naar de sporten. De zwemmers vormden menselijke kluitjes rond de trappen en riepen: 'Vlug! Vlug! Anders bijt-ie!' Midden in het ondiepe, in de slangenkuil, speurde Gundars het water af. Er liep speeksel uit zijn mond.

Clark stond op, liep naar de trapjes en veegde zijn handen af. Hij stak zijn hand uit naar de watertrappende zwemmers in het diepe, maar ze sloegen zijn hulp af. 'We moeten via de trap,' snauwde een vrouw. Daarom knielde hij bij de rand en wachtte hij tot ze iets tegen hem zouden zeggen, maar dat deden ze niet.

Tegen de tijd dat de laatste mensen van de traptreden op de kant stapten, kwam de badmeester met een stukje zwarte tuinslang in zijn hand boven water.

'Is maar tuinslang!' kondigde hij met overslaande stem aan. 'Stuk tuinslang in water gefalle!'

*Een tuinslang!*

*Een tuinslang?*

*Hij zegt dat er gewoon een stuk tuinslang in het water is gevallen!*

De bejaarden keken elkaar weer aan. Er droop water van hun stevige buiken en ze tikten elkaar sussend op de hand en op de rug. Hun kapsels waren verpest, hun gezichten opgetogen. Een tuinslang! Clark bleef op zijn knieën zitten en keek naar hen.

*Wat zei hij nou?*

*Een tuinslang.*

*Een tuinslang, geen beest!*

Op dat moment zag Clark de zwemvleugeltjes. Ze lagen slap naast het zwembad en liepen langzaam leeg. Clark stond op. Het wateroppervlak glom en reflecteerde de matte hemel en de omzoming van bomen. Hij liep naar het diepe en staarde omlaag in het blauw. Toen de rimpeling verdween, zag hij onder water iets groots wat naar de bodem zonk. De contouren werden duidelijker, als een voor de hand liggend idee dat eindelijk in het brein vorm krijgt, en Clark had het gevoel dat een slimmere man dan hij dit intussen wellicht al zou hebben voorkomen.

'James,' zei hij.

Opeens werd hij zich bewust van grote afstanden, van de afstand tussen hem en alle anderen, tussen het diepe en het ondiepe, dat nu heel ver weg leek, in een ander land. Het drong vaag tot hem door dat de jonge badmeester door het bad naar het diepe zou moeten zwemmen, terwijl hij zelf alleen maar hoefde te springen. Na alle commotie hield de blije Gundars het stuk tuinslang nog steeds als een slaphangend geweer boven zijn hoofd. De bejaarden waren ook opgetogen. Opeens leken ze heel jong en absurd argeloos, als personages in een kinderboek.

Toen beleefde Clark een heel helder moment. Een moment zonder enige twijfel. Voor het eerst die vreselijke zomer, misschien wel voor het eerst van zijn leven, werd de mist in zijn hoofd doorboord door een ondraaglijk besef dat ook nog eens ondraaglijk waar was. Wat was werkelijkheid? Dít was werkelijkheid. Hij en het zwembad en de jongen waren op dat moment de werkelijkste dingen op aarde. Hij hoorde het water grinnikend in de goten klotsen, gedempt gelach binnenin. En hij hoorde zijn eigen sterfelijke hart luid reageren.

*Kedóém. Kedóém. Kedóém.*

Het was een eenzaam moment. Maar toen hij in het water dook, dat hem met zijn koelte omhulde en hem binnen in zich begroef, merkte hij dat het ook een van de sensueelste momenten van zijn leven was. Hij voelde de zinnelijkheid van waardevol zijn, van een reden hebben om te bestaan. Hij tolde door het water en had luchtbelletjes op zijn huid.

Hij deed zijn ogen open. De vaart van zijn duik was verdwenen en even wist hij niet waar de oppervlakte lag. Hij bevond zich in een doos van water. De wanden hadden alle vier dezelfde kleur. Toen hij over zijn schouder keek, zag hij de jongen vlak onder zich, of naast zich. James Nye zweefde rechtop in het water en schopte zwakjes met zijn voeten. Hij duwde met zijn ellebogen tegen het water, alsof hij worstelde met andere jongens in plaats van met zijn eigen einde. Zijn donkere haar golfde een beetje. En ook al was hij bleek en was zijn mond vertrokken, hij tuurde alleen maar naar een bril die onder hem lag, ver weg in de schemering. Het was vreemd om in zo'n geluidloze kamer boven de jongen te staan, zonder iets te zeggen, starend naar die bril, een relikwie.

Omdat Clark voelde dat hij van de jongen wegdreef, vocht hij tegen de benauwdheid en de kou tot hij de glibberige arm van de jongen had vastgepakt. Opeens was er sprake van een soort vriendelijke confrontatie, daar op de bodem van het zwembad.

James zweefde in het water en keek naar hem op. Zijn ogen hadden dezelfde kleur als het zwembad. Zijn mond hing open en zijn tong zwabberde slap naar binnen en naar buiten. Toch keek hij blij, zoals je blij kunt zijn als je in een droom een vriend ontdekt.

En toen, net voordat zijn ogen in hun kassen wegdraaiden, hief de jongen zijn armen op, een verzoek dat Clark onmiddellijk herkende. Iedereen die ooit kind was geweest, had dat gebaar talloze keren gemaakt, en het betekende: *wil je me dragen?*

*Ja,* dacht Clark. *Ik zal je dragen.*

# Deel 2

# Spoedgeval

De automatische deuren van de supermarkt schoven open en Charlotte liep de gekoelde lucht in. Door de grote ruit leek de buitenwereld geschilderd of ingelijst, met bomen die bogen onder hun nazomerse zwaarte. Neuriënd liep ze tussen de piramides sinaasappels, paprika's en meloenen door en uiteindelijk kwam ze met haar mandje bij een kassa. De klant voor haar, een vrouw met een broekrok en een enigszins norse blik, rekende af en duwde haar karretje naar buiten, dat in het zonlicht glom terwijl ze langzaam over het asfalt van het parkeerterrein liep.

Op dat moment kwam er een voortijlende ambulance in zicht. De caissière bij Charlottes kassa staakte haar bezigheden, drukte haar handen tegen haar oren en deed haar ogen dicht. Het gebouw werd gevuld door het wanhopige geluid van de sirene, dat aanzwol en wegstierf. Toen de stilte was weergekeerd, liet de caissière haar handen zakken. Ze draaide haar hoofd en keek naar buiten.

'Wat zielig voor degene die erin ligt,' zei ze. Ze was nog

jong en droeg een dikke laag blauwe oogschaduw. Haar ogen waren rond als munten. 'En dan ook nog eens op zo'n mooie zomerdag. Ongelukken zouden verboden moeten worden.'

'God zou ze moeten verbieden,' beaamde de gezette caissière achter de kassa naast hen. Beide meisjes begonnen weer werktuiglijk boodschappen te scannen. Charlottes caissière moest een doos eieren een paar keer langs de scanner halen en keek er geïrriteerd naar.

'Echt sneu.' Ze keek Charlotte aan. 'Op zo'n mooie dag.'

'O,' zei Charlotte. 'Bedoel je de ambulance? Het lijkt me op geen enkele dag leuk om daarin te liggen.'

Het meisje knikte, ten teken dat ze het daarmee eens was. 'Dat is waar,' zei ze. 'Marly, wil jij op een mooie dag doodgaan of als het regent?'

'Als het regent,' antwoordde het mollige meisje zonder op te kijken.

'Ik heb een hekel aan sirenes,' zei de caissière. 'Aan sirenes en aan blaffende honden. En aan gegil. Nare geluiden. Ik heb een hekel aan nare geluiden.'

'Tja,' zei Charlotte. 'Ik denk dat het bij het leven hoort.'

'Wat?'

'Doodgaan.' Charlotte haalde haar schouders op. 'Ja, doodgaan. En nare geluiden en nare gebeurtenissen. Ongelukken.' Ze glimlachte naar het meisje.

'Dat zou u niet zeggen als u erin had gelegen.' Het meisje gebaarde met haar duim naar buiten.

'Jawel,' zei Charlotte. 'Na een poosje wel.'

'Nou ja, misschien ook wel,' zei het meisje. 'Ja, waarschijnlijk wel. Als je een poosje dood bent, moet je het wel accepteren.'

'Maar geesten doen dat niet,' zei Marly.

'Dat is waar,' beaamde de andere caissière.

'Mijn oom woont in een huis met een smet erop. Weet je wat dat betekent?'

Charlotte en de caissière schudden hun hoofd.

'Er is daar een crime passionnel gepleegd. Een vrouw heeft haar man doodgeschoten. Mijn oom kon het voor een goede prijs krijgen, want niemand wil wonen in een huis dat ongeluk brengt. Als je slim bent, kun je huizen met een smet opkopen.'

'Ongeluk? Wat een onzin.' De caissière snoof minachtend. 'Wat gebeuren moet, gebeurt toch wel.'

Charlotte keek weer naar buiten, naar de zonnige dag die nog maar net begonnen was. Opeens wantrouwde ze die dag. Ze wilde niet naar buiten. Ze wilde in de supermarkt blijven en met deze twee meisjes praten, alsof ze zelf nog jong was en een deeltijdbaantje had en niet verantwoordelijk was voor de dingen die ze zei.

'Zeventien dollar vijf,' zei de caissière. Ze stak haar hand uit.

'Wacht, wacht,' zei Charlotte. Met een opgelaten lachje pakte ze een reep chocola uit het rek, die ze op de band legde. Het meisje zette haar voet op een pedaal en de chocoladereep schoof naar haar toe.

'Krijg je daar geen tandpijn van?' vroeg het meisje.

'Ik ben dol op chocola,' vertelde Charlotte op vertrouwelijke toon.

'Ik ook,' zei Marly.

'Ik eet het stiekem,' zei Charlotte.

'Ik ook,' zei Marly. 'In mijn eentje.'

'O jee,' zei de eerste caissière. Haar schouders verstijfden. 'Daar komt er nog een.'

Deze keer leek het geluid van de sirene wel vanaf de grond op te stijgen. Toen de ambulance voorbijreed, trilde het hele gebouw weer van het lawaai. Alle klanten stonden met een wezenloze blik te luisteren. Twee ambulances achter elkaar – dat viel op. Het krijsende voertuig reed voorzichtig over het kruispunt en racete daarna verder.

Het meisje ontspande haar schouders. Ze zuchtte en gaf Charlotte haar tasje met boodschappen.

'Twee ambulances,' zei het meisje. 'Dat is een slecht teken. Een heel slecht teken. Een zwaar ongeluk of zo. Een dubbele moord.'

'Een dubbele moord op maandagochtend?' vroeg Marly spottend.

Het meisje keek weer naar buiten, waar nu niets anders meer te zien was dan auto's en verspringende verkeerslichten. 'Ik geloof dat ik liever op een zonnige dag zou doodgaan,' zei ze tegen niemand in het bijzonder. 'Op een rustig moment. Als ik het voor het zeggen had.'

'Je hebt het niet voor het zeggen,' zei Marly. 'In een flits is het voorbij. Er komt echt niemand langs met een keuzeformulier.'

'Hoe weet jij dat nou?' vroeg het meisje ernstig. 'Dat weet je toch niet?'

Charlotte tilde haar boodschappen van de band. Op dat moment ging er een huivering door haar heen. Was het de koude lucht in de supermarkt? Ze liep naar de deuren, die voor haar openschoven. De caissières tuurden naar hun scanners en probeerden te doorgronden of die het wel wisten.

# Het echte leven

Een uur later holde Charlotte met haar tas tegen haar buik geklemd door een heel gladde ziekenhuisgang. Toen ze bij het ronden van een hoek uitgleed, viel haar tas op de grond en regende het kleingeld. Daarna holde ze met de tas achter haar rug en haar handen uitgestrekt, als een blinde. De gezichten van de verpleeghulpen die bij de snoepautomaten samengroepten lieten haar onverschillig, evenals hun rijk van koude, felverlichte, eindeloos lange gangen, en ergens in dat labyrint kwam ze Clark tegen, die op een brancard de andere kant op ging. Zijn gezicht was bleek, opgezwollen en met allerlei slangen verbonden, zijn net niet helemaal gesloten ogen waren angstaanjagend in hun schoonheid en hij was Charlotte al bijna gepasseerd, rechtstreeks afkomstig uit het rijk der nachtmerries, voordat ze hem herkende, rechtsomkeert maakte en achter hem aan rende. En zelfs toen greep ze alleen het kussen vast waar zijn hoofd op lag, niet in staat zijn naam hardop uit te spreken en zich daarmee als zijn vrouw kenbaar te maken. De vaart van de brancard sleurde haar mee, de ademhaling van de verpleger blies in haar oor. Even later werd haar hand van het kussen losgemaakt en verdween de brancard tussen twee klapdeuren en daar stond ze dan, volkomen roerloos – met onbetraande wangen, niet-bestaand – totdat iemand haar naar een stoel leidde.

De jongen die Clark in het zwembad had proberen te redden was naar een kinderziekenhuis gebracht. Charlotte was blij dat hij ergens anders was, want toen Clark die middag voor het eerst van de afdeling Spoedeisende hulp af mocht en ze zijn onschuldige, koude voeten over het uiteinde van de brancard zag steken, merkte ze dat ze overliep van een onvoorstelbare agressiviteit. Ze haatte dat joch. Ze was razend, haar vuisten omklemden trillend het niets en ze was kwaad op dit rare stadje dat hen naar zich toe had gelokt – en waarvoor? Voor uitzichtloze baantjes, om te vechten, te zinken en te verliezen?

Te midden van de onpersoonlijke geluiden van apparaten en het gepiep van doktersschoenen die zich op de gang ergens naartoe haastten zat Charlotte bij zijn bed te wachten. Haar woede was inmiddels geweken. Ze zag in dat het leven alleen maar de verdenking bevestigde die zij er al over had gekoesterd: dat het van nature onbetrouwbaar was. Wispelturig. Want, wist ze, zodra je bent geboren trekt de wereld die je zo hooghartig heeft voortgebracht haar handen van je af. Ze verschoont zich van alle zorg. Dat wist ze al heel lang.

Toen de artsen met Charlotte kwamen praten, deed ze

erg haar best zich te concentreren op wat ze zeiden, maar op de een of andere manier had ze zich al in het weduwschap weten op te sluiten. Hij zag er zo dood uit. Je kon duizend keer zeggen dat hij sliep, maar dan zag hij er nog steeds dood uit. En als hij dood was, hoe kon het dan dat er zoveel was wat ze hem nog moest vertellen? Terwijl ze naar zijn knappe gezicht met het langwerpige kaakbeen keek en de artsen maar doorleuterden, prikten er eindelijk tranen in haar ogen. Want ze moest hem nog zo veel vertellen. Ze wilde zeggen dat het goed was, dat hij geen idioot was. Dat was zij. Zíj was de idioot! Zij was degene die zo bang was dingen te verliezen, zo idioot bang, dat hij de eerste was van wie ze had durven houden sinds die dag dat ze krijsend bij haar moeder was weggehaald, want ze had op die lang vervlogen dag ongetwijfeld gekrijst. En nu kon ze nauwelijks 'Ik hou van je' zeggen zonder te blozen, alsof het iets pervers was. Ze schuifelde voetje voor voetje door het leven, een vrouw op een smalle balk. Ze wilde zeggen dat ze misschien – als alles anders was geweest, als ze in een andere wereld had geleefd, een vrolijker jeugd had gehad – van dezelfde dingen had kunnen dromen als hij. Waarvan? Van een eigen kind, het openslaan van een sprookjesboek op het kleed? Ze boog zich naar hem toe, probeerde in die halfgeloken ogen te kijken.

'Clark,' zei ze. 'Lieverd.'

Zo bleef ze zitten, over hem heen gebogen, bijna gehurkt, wachtend tot zijn ogen opengingen, totdat een van de artsen haar een pil in een wit bekertje gaf. Ze voelde dat ze beneveld raakte en ze viel in slaap in een stoel naast het lichaam dat haar al duizend nachten vertrouwd was.

De ochtend brak aan. Ze werd wakker doordat iemand op haar hoofd tikte en merkte dat ze recht in de ogen van haar man keek. Hij grijnsde nota bene, en zijn lange bruine armen staken uit het witte papieren gewaad. Zijn wangen waren opgezwollen alsof ze nog steeds vol water zaten. Heel even, voordat ze helemaal wakker was, meende ze dat de piepende brancardwieltjes zingende vogels waren en dat Clark en zij weer thuis waren. En misschien was dat ook zo. Hij lachte. Zij lachte ook. Ze wilde niet lachen. Ze wilde kwaad zijn. Ze klom op het bed en kuste zijn gezicht.

'Je leeft nog!' riep ze. 'Kloothommel!'

Ze omhelsde hem met haar hele lichaam. Hij keek stomverbaasd, zijn opengesperde blauwe ogen namen elke centimeter van de kamer op. En toen beenden de verpleegkundigen naar binnen met hun koude metalen instrumenten en hun boze geflirt. De artsen kwamen met Charlotte overleggen en zij hoorde opnieuw bijna geen woord van wat ze zeiden. Er verscheen een verslaggever van *The Daily Clementine* met een camera, de flits vulde de hele kamer en ze zag Clark dapper in bed poseren, met zijn handen voor zich gevouwen.

Die avond laat mocht hij naar huis. Toen ze door de gang liepen – Clark op ziekenhuissloffen en in een geleend trainingspak – klapte iedereen. Het nieuws over zijn heroïsche daad had zich over alle afdelingen verspreid en iedereen die daar in zijn bed lag te genezen of te sterven, gehecht of gedrogeerd, geveld door een ziekte die niets poëtisch had, putte er moed uit.

Niemand, ook Clark zelf niet, wist precies waarom het drie minuten had gekost om James Nye uit het water te redden. Gundars was flauwgevallen en het enige wat de oudjes konden doen was om het diepe heen gaan staan, schreeuwen en stampen. Verdrinkingsslachtoffers raken soms in paniek en sleuren hun redders mee omlaag, maar Clark herinnerde zich geen worsteling. Hij herinnerde zich niets meer vanaf het moment dat hij in het water was gedoken, de jongen had gezien die zijn armen naar hem uitstrekte en heel zeker had geweten dat hij de kracht had om door te zetten, dat het hem zou lukken en dat het absurd was om afspraken te maken.

Drie verraderlijke minuten later had hij de oppervlakte bereikt en zijn bewustzijn verloren. De oudjes hadden hem op de kant getrokken toen hij weer begon te zinken. Een veteraan uit de Koreaanse oorlog had eerst de jongen en daarna hem gereanimeerd. De jongen haalde geen adem meer. Ze waren allebei buiten bewustzijn.

Waar was hij die uren geweest? Clark deed geen poging om zijn halve dood te beschrijven en Charlotte vroeg er niet naar. Ze wilde zich alleen maar koest houden en kalm doorlopen om te voorkomen dat ze de aandacht van de schikgodinnen trokken, die hun beslissing dan misschien zouden herroepen. Ze deed alle lampen in huis aan en maakte een bed voor hem op de bank, waar ze altijd in zijn buurt kon zijn. Toen ze in de keuken een blik perziken voor hem openmaakte, trilden haar handen zo hevig dat ze moest zeggen dat er geen perziken waren. Later diezelfde dag bereikte hen het nieuws dat James Nye nog leefde en voorzover bekend geen hersenbeschadiging had. Bij het horen van dat bericht zuchtte Clark diep; hij bracht zijn vuist naar zijn mond en begon te huilen.

'Niet huilen!' zei Charlotte handenwringend. 'Alsjeblieft niet huilen!'

De artsen hadden tegen haar gezegd dat hij zich nog een paar dagen niet mocht opwinden of inspannen. Maar ze kon er niets tegen doen. Haar handen op de lekplekken leggen hielp niet. De hoeveelheid tranen was overvloedig. Zijn hele gladde, olijfkleurige gezicht glom ervan. Dus bleef ze maar zitten kijken. Ze bedacht dat ze hem nog nooit zo vol overgave had zien huilen, zelfs niet bij de begrafenis van zijn moeder.

De dagen daarna sterkte Clark thuis aan en koesterde hij zich in de tamelijk morbide aandacht van vreemden zonder het hun kwalijk te nemen dat ze nooit eerder waren langsgekomen. De Ribbendrops kwamen met een kolossale pan soep, vriendelijker en minder wezenloos dan ze door hun autoraampjes hadden geleken. De mooie Meg Girgis kwam langs, ging aan de keukentafel zitten, hield Charlottes hand vast en schudde haar glanzende hoofd. Conrector Stanberry, overigens nogal een ongelikte beer, kwam bloemen brengen. Zelfs de burgemeester van Clementine belde op en reciteerde door de telefoon een gedicht over moed.

Charlotte hing net half in de brievenbus om alle brieven en krantenknipsels eruit te vissen toen ze Clark in het gele huis hoorde roepen: 'Charlotte! Charlotte!'

Ze strompelde door de regen terug naar de voordeur.

'Ja, schat!' riep ze terug. 'Wacht maar! Ik kom al!'

Ze holde de huiskamer in, waar hij veilig onder zijn geruite deken op de bank lag en verrukt naar de haagdoorn in de tuin keek.

'Hij staat in bloei,' zei hij, en hij wees naar buiten. Zijn ogen waren groot en glashelder en de bovenste knoopjes van zijn overhemd waren scheef dichtgemaakt.

'Jezus,' zei Charlotte met haar hand op haar hart. Ze liet haar paraplu op de grond vallen. 'Lieverd, hij staat al weken in bloei. God, ik dacht dat er iets ergs was.' Ze zuchtte, kwam bij hem zitten en begon de knoopjes goed te doen.

Clark glimlachte kalm en tilde zijn kin op. Er wás ook iets ergs, besefte hij – hij had die prachtige bloesems wekenlang niet gezien. Dat hij ze nu wel zag was stellig een teken dat hij er weer was, letterlijk weer bij zinnen was. Weer helemaal de oude was. Eerder was hij niet in staat geweest die bloesems te zien omdat hij er nog niet echt was geweest. Ja, er had een vloek op hem gerust, een dwaze vloek van verdriet, waanideeën en zwelgen in herinneringen. Tijdens de afgelopen paar dagen bedrust in zijn eentje had hij honderd dingen gezien die hem ervan overtuigden dat hij genezen was: een familie goudvinken die een nest bouwde onder de dakrand, een gat in de heg waaruit bleek dat er 's morgens een egel langskwam, de gewichtige silhouetten van vogels en vliegtuigen die over de tuin gleden en waarvan hem er niet één ontging. Dit was het, zei hij bij zichzelf. Het echte leven – betrouwbaar, tastbaar, als brood. Geen voor-de-gek-houderij, geen trucjes of waandenkbeelden. Hij rekte zijn hals en keek naar het plafond terwijl Charlotte zijn overhemd goed deed. Geen mysterieuze voetstappen boven zijn hoofd. Geen genies in de provisiekamer. Het huis voelde normaal, prettig, zonnig.

En zijn vrouw. Zijn vrouw was zijn vrouw. Hij schoot bijna in de lach, zo heerlijk was het. Hij kon de prachtige dwaasheid ervan nauwelijks bevatten: zo'n mooie vrouw die hem trouw bleef, gewoon omdat hij het haar had gevraagd! Zodra hij haar naam zei, verscheen ze ergens in een deuropening. Het huwelijk! Waarom beginnen mensen eraan? Clark besloot ter plekke dat het huwelijk helemaal niet extreem was. Het was simpel en het was fantastisch. Het was het opbouwen van een leger, het vierhandige leger van de liefde.

Hij pakte Charlottes hand en trok haar naar zich toe.

'Wat is er?' vroeg ze.

'Stil,' zei hij. Hij raakte haar gezicht aan. Hij pakte een handvol van haar natte blonde haar en draaide het om zijn vuist. Het leek wel het opdraaien van honing op een houten spatel. Hij beloofde zichzelf dat hij haar aanwezigheid, zolang hij bij zijn verstand was, nooit meer vanzelfsprekend zou vinden. Noch die van bloesems, of van het zachte licht dat 's ochtends onder de slaapkamerdeur door kroop. Een geschenk, dacht hij, en zijn ogen werden vochtig, ze was elke dag opnieuw een geschenk. Zijn vrouw.

'Hallo,' zei hij, en hij stak zijn hand uit. 'Ik heet Clark.'

'Dat weet ik,' zei ze.

'Ik heet Clark,' zei hij. 'Hoe heet jij?'

'Charlotte.'

'Aangenaam kennis met je te maken, Charlotte.'

Charlotte keek hem aan.

'Wil je dat ik je een hand geef?' vroeg ze.

'Ja, ik wil dat je me een hand geeft,' zei hij. 'Laten we doen alsof we elkaar net hebben ontmoet.'

Ze knipperde met haar ogen. Ze verroerde zich niet. En op dat moment had hij het bijna gezegd – *het spijt me* – omdat het zo was, omdat het hem speet. Maar de woorden bleven in zijn keel steken en schoten tekort.

'Wat ik wou zeggen,' zei hij, en hij streek haar haar weer glad. 'Je had gelijk. Ik was ergens anders. Geen idee waar. Afwezig. Een beetje raar. Maar ik ben er weer, oké? Ik ben weer helemaal de oude. Dat zweer ik. Laten we een nieuwe start maken.'

Charlotte keek hem doordringend aan, zocht naar een teken van spot of onbetrouwbaarheid op zijn gezicht. Maar vond er geen. Zijn blik was warm, verzadigd van liefde. Ze rechtte haar rug, naast hem op de bank. Iets moois en hoopvols flakkerde in haar binnenste op en sprong van rib naar rib. En heel even leek de wereld plooibaar, een plek waar het mogelijk was je angst, je moederloosheid of je jarenlang

gekoesterde verbittering jegens de schikgodinnen te over-
stijgen. De wegen en de kantoorbaantjes, de vervelende
werkjes, de ritsen en de ziekenhuizen verzonken met die
blik in het niets en één moment lang was zij er – Charlotte
Eugenia Adair – en stond er niets tussen haar en haar grote
belofte in. Ze trilde. Ja, ja, dacht ze. Dit ben ik.

'Zal ik...' begon Charlotte. 'Ik maak iets te eten voor je.
Hetzelfde maar weer? Een sandwich met mayonaise?'

'Nee, alsjeblieft niet,' zei Clark, en hij lachte zoals iemand
zou kunnen lachen die beseft dat hij dood is en veilig in de
hemel is aangekomen. 'Dat is allemaal verleden tijd. Weg
met die gekkigheid. Ik zweer je bij dezen, Charlotte: ik eet
mijn hele leven geen mayonaise meer.'

Charlotte hield haar hand voor haar mond en lachte ook.
Buiten klonk een donderklap van een wegtrekkende on-
weersbui. Clark greep de paraplu en klapte hem boven hun
hoofd open, zodat ze met water werden besproeid. Charlotte
kwam naast hem liggen.

'Goddank, eindelijk regen,' zei ze. 'Ik hou van regen.'

'Hé,' zei Clark. 'Speel eens een stukje harmonica voor me.'

'Hè? Ik heb helemaal geen harmonica.'

'Dans eens in een kringetje rond.'

'Wát?' gilde Charlotte. 'Nee!'

'Rol voor me over de grond. Spring voor me op en neer.'

'Néé!'

'Zing dan dat liedje over het eendje met de gele schoentjes,' mompelde hij. 'Ik ben een herstellende zieke. Je moet
doen wat ik zeg.'

Charlotte slikte en haalde diep adem. Dat liedje was een van de fijne dingen die ze zich herinnerde van toen ze klein was. Je zong het als het regende. 'O, wat een geluk een eendje te zijn, al in de regen, o zo fijn. Met gele sokjes...'

'... en gele schoentjes...'

'Door alle plassen, voor de gein. Kwek, kwek, kwek....'

Nadat ze zo een poosje hadden gezongen, waren ze stil. Ze lagen samen in de blauwe schaduw van de paraplu en keken naar een vink die uit het peuterzwembadje in de tuin zat te drinken, dat nu helemaal tot de rand gevuld was met regenwater.

# Dankbaarheid

'Ik zie je strotklepje,' zei hij, terwijl hij zich over haar heen boog.

Daardoor sloeg Charlotte weer dubbel van het lachen.

'Kijk, kijk.' Hij wees ernaar. 'Nu stuitert het op en neer.'

'Hou op!' riep ze. Ze veegde de tranen uit haar ogen en ging in haar roze nachtpon rechtop zitten. 'Zo is het genoeg. Ik moet opstaan en iets gaan doen.'

'Je doet al iets,' zei hij. 'Je bent mijn verpleegstertje.'

'Nee,' zei ze. 'Ik heb het over schoonmaken en opruimen en zo. Ik kan niet eeuwig thuisblijven van mijn werk. Ik kan niet eeuwig voor je zorgen. Dan worden we allebei ontslagen. Waar moeten we dan van leven?'

'Liefde,' zei Clark. 'Van liefde en van de lucht.'

'Hou toch op.' Ze wendde haar blik af. 'Je bent allang beter. We kunnen niet eeuwig blijven spijbelen.'

'Ik kan nog best even spijbelen, hoor,' zei hij. 'Ik wil niet terug naar die sportsokkenschool. En het regent. Ik kan niet naar buiten als het regent. Zullen we een ark bouwen?'

'En die arme kinderen dan? Wat moeten die zonder jouw adviezen?'

'Die zijn veel beter af als ze doen wat ze zelf willen,' zei Clark. 'Zullen we naar de film gaan?'

'De film? Het is donderdagochtend negen uur.'

'Charlotte.' Hij duwde het puntje van zijn neus omhoog om een soort varkenssnuit te maken. 'Het is nooit te laat om een leuke jeugd te beleven.'

Ze lachte en duwde hem van zich af. 'O, jawel.'

Hij sprong boven op haar en pakte haar polsen beet. 'Ik voel me geweldig. Als herboren. Alsof ik je net heb ontmoet!' Hij ging op zijn hurken zitten. 'Ik heb een idee.'

Hij droeg niets anders dan een paar sokken. Hij ging staan en trok langzaam de deken van het bed. Hij draaide zich om en keek haar veelbetekenend aan.

'O nee.' Charlotte keek naar de deken. 'Dat gaan we niet doen.'

'Jawel,' zei hij.

'Nee!' riep ze lachend. 'Toe. Dat niet!'

'Jawel,' herhaalde hij. Zijn stem klonk bijna teder. Hij legde de deken over zijn hoofd en ging er bijna helemaal onder schuil. Met zijn handen vormde hij klauwen. 'Ik ben het Moerasmonster en jij bent mijn prooi.'

'Helemaal niet!' riep ze. Hij torende dreigend boven haar uit en ze probeerde met hem in discussie te gaan. 'Wacht! Ik moet eerst naar de wc!'

'Te laat!' brulde het Moerasmonster, en Charlotte gilde en vloog uit bed. Hijgend stond ze aan de andere kant. 'Moerasmonster hónger,' zei hij. Met een grote klauw haalde hij naar haar uit.

'Hé!' zei ze. 'Kun je door de gaatjes heen kijken?'

Hij holde om het bed heen.

'Ik vind het afschuwelijk als je me achternazit en ik vind het afschuwelijk als je me kietelt,' zei ze. 'Dat weet je best.'

De gedaante onder de deken liet zijn stramme armen zakken. 'Wil jij dan het monster zijn?' vroeg hij.

Charlotte verschoof haar gewicht naar haar andere voet in de hoop dat ze sneller kon starten dan hij. Toen klom ze krijsend over het bed en zette het op een lopen. Hij draafde met stijve armen en benen achter haar aan, tikte met zijn handen tegen de muren en liet zijn lage, hongerige geluiden horen. De vloeren dreunden. Ze gilde van het lachen. Stel dat de buren ons door de ramen zien, dacht hij in een flits. Onder zijn deken moest hij glimlachen. Hij speelde vals. Hij kon haar door de gaatjes heen zien. Haar haar wapperde als linten achter haar aan en danste op haar nachtpon. Ze draaide zich in de volgende deuropening om en beet afwachtend op haar hand. Ze zat in de val. Hij had nu werkelijk een monsterlijke honger naar haar. Hij ademde zwaar en kwam steeds dichterbij.

Toen stootte hij zijn hoofd tegen de deurpost. 'Au,' zei hij. Even zag hij sterretjes van de pijn. Ze gilde, glipte om hem heen en rende door de gang.

'Moerasmonster boos,' zei hij.

'Eigen schuld!' riep Charlotte zangerig, terwijl ze naar de trap rende. 'Eigen schuld, dikke bult!'

Ze gleed met een rood, kinderlijk opgewonden gezicht om de balustrade van de trap heen. Misschien had ze wel gelijk. Misschien was het nog niet te laat. Hij sprong met grote passen in haar richting. Ze keek naar beneden en besloot de trap af te rennen.

'Hm,' zei het Moerasmonster. Boven haar, op de overloop, snuffelde hij in de lucht. 'Ik ruik vrouwenvlees!'

Hij stak een kousenvoet naar voren, die naar de eerste trede zocht. Met een kreun zette de vormeloze gedaante een dreunende stap op de trap.

'Dat is niet eerlijk!' gilde Charlotte. 'Je kunt door de gaatjes heen kijken!'

Toch wachtte ze beneden op hem, overlopend van de dankbaarheid die liefde is. De deken bleef ergens aan een trede hangen en schoof omhoog over de naakte voorkant van het monster, waardoor zijn donkere, harige kruis zichtbaar werd.

'Clark...' zei Charlotte.

'Wie Clark?' bromde het Moerasmonster. Het leek een oprechte vraag.

Stap voor stap kwam hij naar beneden, tot zijn omhulde gedaante bij haar was.

'Nee,' zei ze. 'Nee. Alsjeblieft niet kietelen. Genade!'

'Moerasmonster verliefd,' zei hij onder zijn deken. 'Kietelen manier om liefde te tonen.'

Hij greep haar beet. Ze begon te krijsen. Dit half verrukte, half doodsbange protest was zelfs hoorbaar op straat, waar het regende.

# Waargebeurde verhalen

De eerste dag dat hij alleen thuis was, klaarde de lucht op. De bomen bleven glimmend van de regen en diepgroen achter. Clark drukte zijn neus tegen het raam van de huiskamer. Charlotte had haar werk bij de letselschadeadvocaat hervat en het huis maakte een bijzonder lege indruk. Hij trok zijn regenlaarzen en een grijze trainingsbroek aan. De buitenwereld, even groen en springlevend als hij zich voelde, riep hem.

Hij stapte de winderige buitenlucht in. Het was het soort wind dat alleen op het eind van de zomer woei, een warme wind, een afscheidsgroet. Hij herinnerde zich dat hij in het ziekenhuis door een waas van medicijnen heen naar een tv-programma over het weer had gekeken. Het was een van de eerste dingen die hij had gezien nadat hij uit zijn verdrinkingsslaap was ontwaakt en hij herinnerde het zich nog heel scherp. Hij herinnerde zich ook de kalme stem van de presentator. In de ogenblikken voordat het tot hem doordrong waar hij was, had hij gedacht dat het de stem van God was.

Hij stak fluitend de straat over naar de boomgaard. De vogels zongen en de lage, dampige wolken spoedden zich naar zee. Het gras was slap en door de zon gebleekt, en hij betrapte zich erop dat hij takken van bomen trok en ermee in het lange gras sloeg, zodat de grappige krekels opschrokken en op een grappige manier omhoogsprongen, alsof ze gelanceerd werden.

Hij plofte neer en ging in het natte gras liggen. De lucht was parelgrijs en de wind voerde de geuren van warme aarde, overrijpe appels en het einde van de zomer aan. Hij glimlachte in zichzelf. Hij was er weer! Hij was teruggekeerd, maar beter dan vroeger. Zijn hoofd was helder. Hij voelde zich niet verhit, opgefokt of doodmoe, of in beslag genomen door vreemde obsessies. De natte septemberwind blies door zijn huid alsof die van kaasdoek was.

Dag na dag, gedurende zijn hele herstelperiode, had hij in het geheim een Plan uitgebroed. Hij had nooit eerder een Plan gehad. Maar nu wilde hij er een. Hij wilde zijn leven grondig veranderen. Hij zou zijn baan op de school opzeggen zodra hij in staat was zijn overhemd weer aan te trekken en erheen te gaan. Hij had het er nooit leuk gevonden en hij was er niet goed in te zeggen wat hij werd geacht te zeggen, om maar te zwijgen van al die gemiste lessen van de avondcursus. Wat hij echt wilde, was bij een krant werken. Hij wilde eerlijke, waargebeurde verhalen schrijven, waargebeurde verhalen over mensen met pech. Hij wilde net zo'n Remington als zijn vader had gehad en hij wilde het telkens herhaalde *tik-tik-ping!* van zijn gedachten horen.

Hij wilde dat Charlotte met een glas wijn in haar hand over zijn schouder keek en moest lachen om wat hij schreef. En ergens op de achtergrond misschien wel een kindje met een pop voor papa?

Hij rolde op zijn zij en staarde een poos naar het kleine gele huis in de verte, dat half schuilging achter de stammen van de appelbomen. Hij tuurde met half dichtgeknepen ogen. Er klopte nog steeds iets niet. Het was een fijn huis, maar misschien was het niet hun huis. Al die geluiden en schaduwen, die achtergelaten muziek, misschien had hij het zich niet verbeeld. Misschien had hij het zich helemaal niet verbeeld, misschien was het húís wel gek. Het leek haast alsof het huis door verdriet overmand was en aan iemand anders dacht. Soms dacht hij aan Bob en Marion Lippet die naar hun auto waren geheld en zonder nog iets te zeggen met piepende banden waren weggereden. Waarom? En waren ze nu gelukkiger?

Hij zou linea recta naar huis lopen en het zeggen. Hij zou zeggen: *Laten we dit huis verkopen. Ik weet het, het is belachelijk. Maar laten we het doen. Laten we er nu vandoor gaan, nu het nog kan.*

Hij stond op, rechtte zijn schouders. Een appel viel met een doffe klap op de grond. Hij raapte hem op en poetste hem aan zijn shirt op. Zijn tanden drongen met gemak door de schil en het zoetzure sap liep in zijn mond. Later zou hij het doen. Het huis zou er nog steeds zijn als hij van zijn wandeling terugkwam. Hij zou het later zeggen.

# Etensliftje

De auto kwam tot stilstand op de oprit en Charlotte keek door de voorruit naar het huis, dat in de avondschemering verlicht was. Glimlachend haalde ze de spelden uit haar haar. Ze wist dat hij binnen bezig zou zijn aan een van zijn ambitieuze projecten, die doorgaans erg veel tijd en energie kostten maar nooit veel opleverden. Hij wilde een wereld-kaart schilderen in de slaapkamer. Hij was bezig een etens-liftje te ontwerpen dat aan de trap gehangen kon worden, zo-dat ze niet meer naar beneden hoefden om cognac te halen. Na het ongeluk in het zwembad was er een enorme schep-pingsdrang in hem gevaren. Charlotte was erdoor aangesto-ken en had tot haar eigen verbazing een windgong aan de voorkant van het huis gehangen, die nu rusteloos in de wind schommelde en verbazend welluidende muziek maakte.

En toen leek alles opeens weer magisch te zijn, alle ba-naliteiten van een huis en een leven in de Verenigde Staten – de hete, schone damp van de vaatwasser, vrolijke foto's op de ijskast, de mieren die achter de kitrand van het spatscherm bij het fornuis renden, de onvermijdelijke bruine banaan in de fruitschaal. Ze had, misschien wel voor het eerst van haar leven, totaal geen last van twijfels. Misschien was het leven best prettig. Het leven liet je niet helemaal in de steek. Het liet je niet helemaal verweesd achter. Hij was uit het zwembad gekomen, hij had het overleefd, hij was daarbinnen, in hun gele huis, waar hij met een potlood achter zijn oor een stuk touw over de trapleuning liet zakken.

'Clarkie!' riep ze toen ze de deur opendeed. 'Ik ben thuis!'

Ze trok haar hooggehakte schoenen uit. In de keuken liet ze de post die ze uit de brievenbus had gehaald op het aanrecht vallen. Omdat ze in een vergevingsgezinde bui was, pakte ze in de voorraadkamer de doos bonbons die ze voor zichzelf had verstopt. De bonbons lagen in hun zwarte rokjes te wachten tot ze werden gekozen, als dikke meisjes op een dansfeest. Ze pakte er twee of drie en at ze met gesloten ogen op. Ze leunde achterover en riep naar boven.

'Clark! Ik zei dat ik thuis was. Heb je me niet gemist? Met wie praat je daarboven?' Ze slikte de chocolade door en smakte met haar lippen. Ze ving zachte flarden van gesprekken op. 'Clark? Heb je iemand aan de telefoon?'

Ze kamde glimlachend met haar vingers door haar haar. En toen toverden de gedempte geluiden van het huis een frons op haar gezicht. Ze liep naar de onderste traptrede.

'Hallo?' zei ze.

Er kwam geen reactie. Boven was het gesprek stilgevallen. Ze liep met grote passen de trap op. Het touw van het etensliftje hing gebroken over de balustrade. Toen ze de deur van de slaapkamer openduwde, zag ze tot haar verbazing dat het vertrek leeg was. Het bed was niet opgemaakt, op de lakens was nog steeds de verkoelde afdruk van zijn lichaam te zien. Wie had ze dan horen praten?

Hoewel ze om zichzelf moest lachen, ging ze toch even kijken in de logeerkamer. Daarna keek ze in de badkamer. Daarna in de kelder, de achtertuin, de voorraadkamer, de bijkeuken, twee keer in alle kasten en daarna liep ze weer naar zijn bureautje in de slaapkamer, de plek waar hij op zaterdagochtend de honkbalverslagen las. Ze ging zitten. Hij was niet thuis. Ze streek met haar vinger over het bureaublad en keek onthutst uit het raam. Rond de fruitbomen, die nu vruchten droegen, zag ze alleen maar merels. Ze vlogen in groten getale door de steeds donker wordende lucht.

Op de vloer van de kamer zag ze de plekken waar andere mensen hun meubels hadden gezet. Krassen en littekens in de vloerplanken, en verfspetters in een hoek. Ze zag vier afdrukken van poten, echo's van een bureau dat iemand pal voor het raam had gezet. Haar oog viel op iets glimmends achter de plint. Ze liep erheen en ging op haar hurken zitten. De zoveelste goudkleurige haarspeld.

Ze ging met de haarspeld op haar handpalm bij het raam staan en voelde zich opeens neerslachtig. Hoe vaak had hier iemand anders bij het raam gestaan, een andere vrouw die naar de boomgaard keek, wachtte, van alles wenste, van alles zag naderen? Het was alsof ze haar aanwezigheid voelde, alsof die andere vrouw bij haar in het vertrek was. Ze haalde diep adem en bracht haar hand naar haar nek.

Een auto zwoegde tegen de steile straat op. Ze keek hoopvol naar buiten, maar er staarde alleen een kind naar het huis toen de auto passeerde. De bladeren van de bomen voor het raam waaiden abrupt naar achteren en Charlotte zag dat het weer regende – een lichte, treurige, late zomerregen. En op dat moment, alsof hij de groeiende onrust in haar hoofd had aangevoeld of gewoon vluchtte voor de regen, sprong Clark uit een greppel aan de overkant van de straat. Hij droeg zijn grijze joggingbroek en regenlaarzen en at een appel.

'O, goddank,' zei ze.

Ze slaakte een zucht van verlichting en zwaaide, maar hij zag haar niet staan op de bovenverdieping.

# Half slapend

En toen was het zomaar opeens herfst. De wind verslapte zodra hij Clementine bereikte en geurde niet meer naar fruit of pekel. 's Nachts waren de sterren allemaal heel scherp te zien. Ze stonden onbeweeglijk aan de heldere zwarte hemel. De esdoorns in de tuin werden geel. De haagdoorn achter het huis liet in één dag al zijn paarse bessen vallen en zijn naakte schors had de kleur van oude dierenhuid. In de klauwen van de ochtendkilte maakte het huis talloze geluiden, kreunden en kraakten de ruiten en de balken.

Clark zuchtte en zei: 'Ik denk dat we beter even kunnen gaan kijken.'

Charlotte draaide haar hoofd op het kussen naar hem toe. 'Waarnaar?' vroeg ze.

'Wie er aan de deur is,' zei Clark. 'Hoorde je het niet? Er werd geklopt.'

Charlotte tilde haar hoofd op en luisterde. Buiten knapte een tak, en beneden hoorde ze een geluid dat klonk als het kraken van vloerplanken onder het gewicht van een grote man.

'Was het niet gewoon het huis?' vroeg ze. 'Dit huis maakt allerlei geluiden. Is je dat opgevallen?'

'Nee,' zei Clark, en hij likte aan zijn lippen. 'Luister.' Hij stak een vinger op. 'Daar was het weer. Hoorde je het nu?'

'Nee,' zei ze.

Hij verstijfde in haar armen en er kwam een koude tocht door het gordijn.

'Laat me los,' zei hij. 'Ik ga even kijken wie er is.'

'Nee,' zei ze. Ze legde haar hoofd tussen zijn schouder en zijn hals. 'We hoeven niet open te doen. Laten we doen alsof we niet thuis zijn.'

Clarks lippen verstrakten. 'Ik wil geen spelletjes doen,' zei hij. 'Het is ochtend en het is mijn vrije dag en ik wil niet meer in bed blijven liggen.'

De week daarvoor was Clark eindelijk weer aan het werk gegaan. En toen hij de middenschool had betreden, ruim na het begin van het schooljaar, hadden alle secretaresses, Stanberry, de leraren en zelfs de kinderen glimlachend en met een nieuw soort openheid tegen hem opgekeken. Hij vond hen extra ontroerend omdat hij hier gauw weg zou gaan. Nog steeds droeg hij het Plan met zich mee: ontslag nemen, het huis verkopen, een schrijfmachine kopen en het erop wagen. En het was goed, alles was goed, totdat hij zijn geïntensiveerde levensgevoel op een middag aan mevrouw Ormerod probeerde uit te leggen. Hij voelde zich tot alles in staat, tot het uit het niets opbouwen van een heel nieuw leven – zó sterk voelde hij zich. Hij vertelde haar van de haagdoornbloesems, prachtige witte trossen in zijn eigen achtertuin die daar al die tijd al hadden gehangen. En terwijl hij verzaligd uit het raam had gekeken naar de parkeerplaats van de school, had mevrouw Ormerod gezegd dat zo'n reactie uiteraard vaak voorkwam bij mensen die de dood in de ogen hadden gekeken. Het was een roes, een doodsroes. Een manische fase, zei ze terwijl ze haar plastic romp op zijn vaste plek op de plank zette, een tijdelijke euforie die soms werd gekenmerkt door grootse, fantastische plannen en beslissingen. Dat was een goed gedocumenteerd medisch verschijnsel. Mevrouw Ormerod klopte het krijtstof van de bordenwisser van haar handen, misschien zonder te beseffen wat ze had gedaan.

De wereld had in één klap haar scherpe randjes teruggekregen. Verderop in de gang ging met een schel geluid een telefoon over en de kinderen liepen voorbij in hun nieuwe kleren waar de fabrieksvouw nog in zat. De tijd hechtte zich weer stevig aan de klok. In Clarks hoofd viel het Plan in duigen als een huis van lucifersstokjes; het bleek zelf een waanidee.

Clark ging rechtop in bed zitten.

'Alsjeblieft, Clarkie,' zei Charlotte. 'Doe nou niet open. Dat hoeft toch niet. Toe, laten we doen alsof we ons verstoppen.'

Ze sloeg haar armen om zijn middel en Clark verbaasde zich over haar kracht. Hij ging weer op het bed liggen en probeerde aan leuke dingen te denken: jus, brosse pecankoekjes, Rod Carew, dagjes aan het strand. Maar weer hoorde hij het kloppen, luider ditmaal.

'Wat ís dat in godsnaam?' vroeg hij, en hij kwam weer overeind.

'Misschien verbeeld je het je maar,' mompelde Charlotte.

'Nou, dat helpt,' zei Clark. 'Heel erg bedankt, hoor.'

En toen begon Charlotte, als om de achteloosheid te benadrukken waarmee ze zoiets kon zeggen, zachtjes te snurken, met één vinger om het elastiek van zijn onderbroek gehaakt. Door het slaapkamerraam zag hij dat de eik in de tuin van de gescheiden vrouw een oranje zweem had gekregen, en de blauwe lucht draaide almaar in het rond om haar onzichtbare meiboom. Hij vond het niet eens mooi.

Charlotte schrok wakker, tilde haar hoofd op en knipperde tegen het zonlicht.

'Misschien was het een vroege Halloween-ganger,' zei ze.

'O help,' zei Clark, en hij huiverde. Hij had een hekel aan Halloween en het was bijna zover.

'Ik bescherm je wel,' zei Charlotte terwijl ze loom het haar op zijn arm gladstreek.

'Ah, jij beschermt me wel,' snoof Clark. 'Nou, fijn.'

Maar toen hij nog een poosje zo bleef zitten, viel de wind stil en kwam het huis ook tot bedaren, en hij ging weer liggen en zuchtte. Misschien was het toch meer dan een doodsroes. Misschien was het blijvend. Misschien zou hij morgen als hij wakker werd de lucht weer mooi vinden en werkelijk tot alles in staat zijn, zelfs aan zichzelf kunnen ontsnappen.

# Dat wat je achtervolgt

Hij wist dat angst een relict was, overgeërfd van onze primitieve voorvaderen. Clark vond het logisch dat die voorouders bang waren geweest, want ze beschikten niet over vuur of messen of glowsticks. Ze hadden zelfs geen geschiedenis. En geen woorden. Alleen maar instincten. Ren. Spring. Schreeuw. Ze hadden geen antwoorden, alleen maar vragen: *Wat is dát nu weer? Zou het pijn doen?* Halloween maakte gebruik van die resterende angst voor dreigend onheil. Voorgevoelens. Bijgelovigheid.

Clark was bang voor Halloween en hij wist dat dat belachelijk was. Hij besefte dat Halloween in feite alleen maar om commercie draaide, maar hij had er onplezierige associaties bij als gevolg van de keren dat hij die dag met zijn moeder had doorgebracht. Een paar jaar lang had Vera hem verboden verkleed langs de deuren te gaan en snoep te vragen, omdat zij vertrouwelijke informatie had over kannibalen en ontsnappingen uit het gekkenhuis. En voordat hij kon uitzoeken of dat waar was, hield ze erover op en waarschuwde ze hem niet meer voor Halloween. Opeens mocht hij wél met Mary langs de deuren, net als alle andere kinderen, maar hij kon het beeld van kwijlende kannibalen in de heg niet zomaar van zich afzetten, evenmin als het idee dat iemand hém misschien wel als Halloween-snoepje zag. En ook al had Vera het verhaal natuurlijk volledig uit haar duim gezogen, Clark vond het nog steeds vervelend als er 's avonds stemmen rond het huis klonken, en hij had een hekel aan de gretige hebzucht waarmee al die kinderen om snoep kwamen bedelen. Halloween was een avond vol infantiele ongein. Kinderen haalden kattenkwaad uit. Ze gooiden met stinkbommen en wc-papier en staken dingen in brand, en Clark zou zich persoonlijk aangevallen voelen als hij de volgende ochtend wakker werd en zag dat er hondenpoep op zijn stoep was gesmeerd. Een leerlingbegeleider was nu eenmaal een dankbaar doelwit.

Terwijl het laatste daglicht wegstierf, harkte Clark het stug geworden gras aan. Vanwege de vele opborrelende herinneringen leek de klus tergend lang te duren. Even vroeg hij zich af of het hem wel zou lukken alle bladeren van het gras te krijgen. Misschien bleef de boom wel eeuwig blad verliezen en was hij gedoemd voor altijd te blijven harken, als een mythologische figuur. Hij wist niet zeker of hij het goed hoorde, maar in de verte leek griezelige muziek te klinken, die aanzwol toen de wind van richting veranderde. Geef toe, wie was er als kind nu niet een beetje bang geweest voor Halloween? Het was toch een angstaanjagend feest? Hij vroeg zich af of de kinderen het eigenlijk wel leuk vonden.

Iedereen was toch wel eens in tranen uitgebarsten als hij tussen de benen van zijn moeder door een enge mummie op de stoep zag staan? Wie was er nu niet bang geweest voor het glimmende heksje dat uit de slaapkamer van zijn zus kwam, of van streek geweest als hij wakker werd en zag dat zijn favoriete klimboom met spookachtig wc-papier was omwikkeld? Maar ja, dacht hij, dan word je groot en zie je de machinerieën en de kabels achter het decor. Ja toch? Dan zag je dat er helemaal geen gekken waren die met grote passen rond renden en stalen hekken verbogen om kinderen te kunnen pakken. Dan zag je dat er helemaal geen netten waren en dat je nergens bang voor hoefde te zijn. Toch?

Clark schrok op van een scherp geluid. Charlotte tikte tegen het keukenraam. Ze gebaarde naar hem en zei iets. Hij leunde op zijn hark.

'Jelly beans?' zei Charlotte nog eens tegen het raam, en ze hield de zak omhoog. 'Heb je jelly beans gekocht?'

Clark tuurde met samengeknepen ogen naar haar en bleef daar maar bij zijn hark staan. Ze maakte een wegwuivend gebaar.

'Laat ook maar,' zei ze.

Ze deed de jelly beans in een schaaltje. Ze waren niet eens oranje en zwart. Clark liep naar de achterdeur en blies op zijn handen.

'Het wordt donker,' zei hij door de hordeur. 'Ik vraag me af of er wel iemand aan de deur komt. Omdat we hier nieuw zijn, bedoel ik.'

146

Charlotte beet op haar lip. Ze wilde heel graag dat er kinderen aan de deur kwamen. Ze was altijd dol geweest op Halloween, de enige avond waarop je in de Verenigde Staten zomaar chocola kon krijgen. Geen enkele maand leek vroeger zo lang te duren als oktober, en na al dat ademloze wachten kwam dan eindelijk Halloween, een uitbarsting van snoep en activiteit. Het was jaren geleden dat ze Halloween had gevierd, want ze was een volwassen vrouw en ze had geen kinderen. Ze was van nature niet geprogrammeerd om schattig te zijn of zich met schattigheid bezig te houden, en ze vermoedde dat ze ook nooit schattig was geweest, zelfs niet als baby, en daarom had ze de nodige twijfels bij haar drang om nu het huis te versieren en Halloween te vieren, want voor wie deed ze dat eigenlijk? Voor zichzelf? In de straat hoorde ze kabaal van potten en pannen, een kind dat geroepen werd, een pogostick – geluiden van normale levens en huiselijke harmonie. Ze keek weer naar de jelly beans.

'Die kunnen we ze niet geven,' zei ze.

'Wat? Waarom niet?'

'Omdat ze niet per stuk zijn verpakt.'

'Moet alles per stuk zijn verpakt?'

'Ja!' zei Charlotte. 'Dat weet iedereen.'

'Ik niet,' zei Clark.

'Precies,' zei Charlotte.

Ze deed de snoepjes terug in de zak. Ze liep naar de veranda aan de voorkant van het huis en haalde het lichtgevende papieren skelet weg dat ze pas een paar uur geleden had opgehangen.

'Overdrijf je nu niet een beetje?' vroeg Clark, die achter haar aan was gelopen. 'Het gaat alleen maar om een paar snoepjes.'

'Het gaat niet alleen maar om het snoep,' zei Charlotte. 'Het gaat om Halloween.'

'Wat maakt dat uit?'

Charlotte draaide zich om en wees naar hem. 'Je hebt met opzet het verkeerde snoep gekocht.'

Clark deed zijn mond open en begon te lachen. 'Wat? Doe niet zo gek.' Hij liep achter haar aan naar de keuken en keek toe terwijl ze haar schort afdeed en het gedecideerd aan het haakje hing. 'Ik heb helemaal niet met opzet het verkeerde snoep gekocht. Ik heb als kind nooit echt Halloween gevierd. Ik ben er niet aan gewend. Ik vind het geen leuk feest.' Hij plukte aan de voorkant van zijn shirt. 'Ik vind het eng. Zo erg is dat toch niet?'

'Éng?'

Clark keek naar buiten. In de achtertuin was het al helemaal donker. Door het grote raam in de huiskamer zag hij dat kleine gedaantes met maskers en puntmutsen zich verzamelden.

'Mijn moeder zei vroeger dat iedereen in het gekkenhuis op Halloween bovenmenselijke kracht kreeg. De patiënten ontsnapten uit hun cellen en zwierven rond, op zoek naar vlees.'

'Op zoek naar vlees,' zei Charlotte.

'Ja,' zei Clark. 'Ze moesten stuk voor stuk gevangen worden met speciale netten. Ik vroeg me altijd af waarom ze

Mary met pa naar buiten liet gaan als het daar zo gevaarlijk was. Ik bleef paniekerig bij mijn moeder zitten tot mijn vader en mijn zus thuiskwamen.' Hij leunde tegen het aanrecht en keek weer naar buiten. 'Tja... dat gevoel is eigenlijk nooit overgegaan.'

'Clark,' zei Charlotte vanaf de andere kant van het aanrecht. 'Je weet toch dat het onzin is? Dat het een getikt, verzonnen verhaal is?'

'Jawel,' zei hij.

Maar op dat moment kroop in de achtertuin een volledig in het wit geklede jongeman door de heg, en Clarks eerste gedachte was: een kannibaal! Hij deinsde terug, weg van het raam, terwijl de jongeman, een geest die op weg naar een feestje verdwaald was, verontschuldigend zijn hand opstak.

'Clark,' zei Charlotte. 'Alsjeblieft. Er kan ons in dit huis niets gebeuren. Je moeder was gewoon...' Ze gebaarde gefrustreerd met haar handen. '... in de war. Toe. Je moet echt je best doen om dat allemaal achter je te laten.'

Op dat moment werd er op de deur geklopt. Ze keken er allebei naar.

'Wat raar,' zei Charlotte. 'Ik heb net de buitenlamp uitgedaan.'

Ze draaide zich weer naar Clark. Hij beet op de zijkant van zijn hand. Dat vond ze verontrustend. Ze liep naar de deur, waarop nog steeds werd geklopt. Ze zette zeer nadrukkelijk een glimlach op en trok de deur wagenwijd open. Maar het volgende moment hapte ze naar adem, want ze schrok van de twee gestaltes die daar in het donker stonden: een tiener-meisje met woest haar en plastic roofdiertanden en een kind met een duikpak en een duikbril. Heel even leek het een absurde overval. Het meisje had getekende snorharen op haar gezicht en er staken twee oren uit haar zwarte haar. Het kind bleef stug luid door een snorkel ademen. Het meisje spuugde haar scherpe tanden uit op haar handpalm.

'We wilden net weggaan!' gilde ze.

'Het spijt me. We hebben geen snoep,' zei Charlotte be-leefd. 'Bij huizen waar het buitenlicht niet brandt, krijg je geen snoep.'

Toen hoorde ze achter zich Clark aankomen.

'Judy?' zei hij. 'Judy en James Nye?'

'Heel goed!' riep het meisje zangerig. Ze gooide haar kus-sensloop vol snoep op de grond en spreidde haar armen. 'Zie ik er niet geweldig uit?'

'O,' zei Charlotte. 'O!'

'Ik schrok me dood van jullie,' zei Clark. 'Ik dacht...' Hij keek naar Charlotte. 'Laat maar.'

Judy liet haar armen zakken en keek met een enthou-siaste blik naar Clark. 'Het is veel te lang geleden, meneer Adair. Mag ik u knuffelen?' Het meisje drukte haar wang tegen Clarks shirt en deed haar ogen dicht. Daarna keek ze naar Charlotte.

'Is dit uw vrouw?' vroeg ze.

'Ja, dit is Charlotte.'

'Hallo,' zei Charlotte.

'Mag ik u knuffelen?' vroeg het meisje.

'O,' zei Charlotte. Ze deinsde achteruit. 'Ik...' Maar opeens stond het pantermeisje met een spinnend geluid bij haar. Ze drukte haar gezicht tegen Charlottes oksel.

'U ruikt lekker,' mompelde ze.

Toen de twee volwassenen en de twee kinderen weer tegenover elkaar in de deuropening stonden, legde Clark zijn arm om Charlotte heen. Hij trok haar even tegen zich aan en zei tegen de kinderen: 'Ik heb je niet meer op school gezien, James. Waar was je? Ben je braaf geweest en elke dag naar school gegaan?'

'Hij is zo klein dat je hem bijna niet ziet,' zei Judy.

Clark knielde en hield zijn gezicht vlak voor de duikbril. Achter het glas zwommen de blauwe ogen van de jongen. Een rubberen zwemvlies gleed piepend langs de deurstop. De jongen tilde de duikbril op, waardoor een rood gezicht vol vouwen zichtbaar werd. Toen hij naar Clark keek, gleed er spontaan een grijns over zijn gezicht. Charlotte wendde haar blik af. Ze draaide haar hoofd weer terug. Dus door dit jongetje was het allemaal gebeurd.

'High five,' zei Clark.

Het jongetje gaf hem een high five.

'Met twee handen.' De jongen hief twee handen op.

'Oké,' zei Judy. 'Bent u klaar voor uw verrassing?'

'Verrassing?' zei Clark.

'Jimmy,' zei het meisje. 'Ga hem maar halen.'

Het jongetje liep de duisternis in. Toen hij terugkwam, trok hij een gerafeld touw voort waarvan het andere uiteinde in het donker verdween. Op de tuintegels kwam het geluid van tikkende teennagels dichterbij. Een dierlijke zucht. Toen lichtten er in het donker opeens twee witte wolvenogen op. Een roze snuit snuffelde aan een blad.

'Tecumseh,' fluisterde Clark.

'Echt waar?' riep Charlotte. Ze klapte in haar handen. 'Zie ik dat goed?'

De hond tilde zijn kop op en kwispelde werktuiglijk. Terwijl Clark en Charlotte zich op hun knieën lieten vallen, trippelde Tecumseh gewoon langs hen heen naar binnen. Het touw sleepte achter hem aan.

'Tecumseh, kom eens!' zei Clark. 'Brave hond!'

'Brave, brave hond!' zei Charlotte. 'Niet te geloven!' Ze keek naar de kinderen. 'Waar hebben jullie hem gevonden?'

'In de achtertuin van een oude man,' zei Judy. 'Hij was aan de veranda vastgebonden. Hij reageerde op zijn naam. Toen hebben we ons enige... dichterlijke vrijheid veroorloofd en hem bevrijd.'

'Kom alsjeblieft binnen,' zei Charlotte lachend. Ze stak haar arm uit en had nu wel de behoefte om het meisje te omhelzen. 'Vrolijk Halloween.'

In de keuken bleef Charlotte het meisje maar jelly beans aanbieden.

'Oké.' Judy gooide ze allemaal in haar kussensloop. 'Omdat u zo aandringt.'

Charlotte knielde en kuste Tecumseh een paar keer op zijn snuit. De hond likte daarop zijn neus af en liet zich met een zucht op de keukenvloer zakken. In de achtertuin harkten Clark en James de bladeren ijverig op een grote hoop. Hun lachende stemmen waren door het keukenraam heen te horen.

'Ik help wel even met de afwas,' zei Judy, terwijl ze een schort voorbond.

'Dat hoeft niet, hoor,' zei Charlotte. 'Echt niet. Ga maar zitten.'

Het meisje deed net of ze haar niet hoorde. Ze goot een flinke scheut afwasmiddel op een sponsje en maakte er met water schuim van. Naast elkaar stonden ze naar de achtertuin te kijken.

'Wie springt er nu in een berg bladeren,' zei Judy hoofdschuddend. 'Dat heb ik nog nooit gezien.'

'O, dat deed Clark vroeger al met zijn vader.'

'In een berg bladeren springen? Had hij geen speelgoed of zo?'

Charlotte lachte. Ze moest erkennen dat Judy Nye een heel normale indruk maakte. Ze zag er een beetje onbeholpen uit met die ene dikke, doorlopende wenkbrauw en haar afschilferende nagellak, maar verder leek ze op al die andere jonge meisjes die hoopten dat het leven leuk en mooi zou blijken te zijn. In de verlichte keuken leek Judy een enorme bos haar te hebben, en Charlotte dacht terug aan haar eigen middelbareschooltijd, toen ze met grote passen door de gymzaal rende en de potige gymleraar met typische mannenergernis hoorde schreeuwen: 'Stúíteren, je moet hem laten stúíteren!'

Judy haalde het kristallen bonbonschaaltje uit het sop en

hield het voorzichtig met één hand vast. Haar ogen werden groter.

'Ik heb nog nooit zoiets moois gezien,' zei ze.

'We hebben het cadeau gekregen toen we trouwden. Van een tante, geloof ik,' zei Charlotte. 'Ik weet het niet eens meer.'

Het meisje draaide het schaaltje rond in haar handen.

'Voorzichtig,' zei Charlotte, terwijl ze het schaaltje uit Judy's handen pakte. Ze droogde het af met een theedoek. Toen ze zich omdraaide, stond het meisje naar haar te staren, met haar hoofd bijna op haar schouder, alsof ze een schilderij bekeek.

'U hebt een heel mooi huis en prachtige spullen. Als u 's ochtends wakker wordt, zult u God wel op uw blote knieën danken.'

'Bedankt voor het compliment.' Charlotte zette het schaaltje weer in de kast. 'Maar ik denk niet dat we alles aan God te danken hebben. Ik heb foto's gezien van de ruimte, en die lijkt me erg ruim.'

'Ík denk dat Jezus, de zoon van God, helemaal boven in die duisternis op een plank zit. Daar zit hij heel stilletjes naar beneden te kijken.' Het meisje spoelde onder de kraan een bord af. 'Om over je te waken. Te zorgen dat er niets met je gebeurt.'

'Dat is een aardige gedachte,' zei Charlotte.

Het meisje gooide haar stugge haar over haar schouder en stak haar handen weer in het sop. 'Hebt u broers en zussen?' vroeg ze.

'Nee.'

'Niet?' zei het meisje. 'Was u enig kind? Hoe was dat? Kreeg u dan al het snoep?'

'Ja,' zei Charlotte, en ze sloeg haar ogen neer. 'Ik kreeg al het snoep.'

'Uw ouders hielden vast zoveel van u dat ze verder geen kinderen meer hoefden. Wat doen uw ouders? Waar bent u opgegroeid? Hoe krijgt u uw haar zo steil?'

'Judy.' Charlotte liep terug naar de kast. 'Je mag dat bonbonschaaltje wel hebben. Een cadeautje van ons. Omdat je Tecumseh hebt gevonden.' Ze stak het glinsterende schaaltje uit naar het meisje. 'Ik meen het. Het is het minste wat we kunnen doen. Wil je het alsjeblieft van me aannemen? Ik wil het je graag geven.'

Het meisje tuitte geëmotioneerd haar lippen. Ze nam het schaaltje aan.

'Wauw,' zei ze.

'Nogmaals bedankt.' Charlotte schoof haar handen in haar zakken. Ze haalde haar schouders op en keek naar buiten. 'Blijf hier nog maar even rustig zitten. Eet lekker wat jelly beans. Ik ga me klaarmaken om naar bed te gaan. Oké?' Toen ze de keuken uit liep, zag ze dat het meisje met het schaaltje onder haar arm de foto's op de ijskast bestudeerde. Haar starende blik was weer gretig, taxerend en net iets te opdringerig. Toen Charlotte zich boven in haar slaapkamer uitkleedde, kon ze de blik van het meisje bijna over haar lichaam voelen glijden.

Er wreef iets langs haar benen.

'O, Tecumseh,' fluisterde ze. Ze knielde naast de zitten-
de hond, die opkeek. 'Was je bang? Helemaal alleen. Helemaal alleen op de wereld. Het ergste wat er is.'

De hond stond op en ging in zijn vaste hoek van de slaapkamer liggen.

'Oké,' zei Charlotte glimlachend. 'Jij wint. Je mag hier
slapen.'

Terwijl ze haar haar borstelde, liep ze naar het raam. Buiten stonden Clark en het jongetje in de achtertuin.

De berg bladeren was gigantisch. Zo'n grote was er vast
nog nooit geweest. Het leek wel of de commandotoren van
een enorme onderzeeër in de tuin naar boven was gekomen.
Terwijl Clark en de jongen met hun rug tegen de heg gingen staan om hun werk te bekijken, floot Clark bewonderend. Hij had jaren geleden, in zijn jeugd, voor het laatst
een hoop van bladeren gemaakt. Vroeger wachtte hij altijd
vol spanning op het moment dat zijn vader zei dat het tijd
was, en dan gingen ze samen met harken de herfsttuin in.
Nu was het donker, er was geen maan te zien en het was
Halloween, maar Clark was niet bang. James stond naast
hem in de duisternis. Samen met hem in het donker staan
was net zoiets als samen met hem onder water zijn. Ze wis-
selden geen woord met elkaar, maar Clark voelde gedeelde
gedachten als piepkleine vogeltjes tussen hen heen en weer
flitsen. Achter de ramen van de begane grond en de bovenverdieping zag hij de silhouetten van Judy en zijn vrouw. In
de verte schetterde de spookachtige muziek, nep en onbe-
nullig. De wind nam af en achter hen zweeg de heg vol ver-

wachting. Boven op de hoop waaiden in het donker bladeren op.

Opeens herinnerde hij zich dat zijn moeder hem van het
raam had weggetrokken. Haar koude vingers, gevolgd door
haar wanhopige omhelzing. *Niet voor het raam gaan staan!*
had ze geroepen. *Daar kunnen ze met hun handen dwars
doorheen!* Nu streelde de heg over zijn rug. In gedachten
zag hij de gestoorde kannibalen die zich in de heg verstop-
ten, bij de merels, de zombies en alle andere monsters, en
hij besefte dat het misschien helemaal niet om angst ging.
Misschien ging het er wel om dat je achtervolgd werd door
iets wat net zo eenzaam was als jij.

# Een leven met draken

Clark had die avond in de keuken plezier gemaakt met de kinderen en met hen gepraat over filmsterren en vervelende dingen die op het schoolplein gebeurden. Terwijl Judy en James zich steeds meer blootgaven en zich door hun voorraad snoep heen werkten, voelde Clark zich – in zijn eigen huis en zonder de opgelegde regeltjes van school – een heel verstandige begeleider, en hij vond het leuk om hun ondoordachte vooroordelen serieus te nemen. Hij zei niet dat ze hun snoep beter niet allemaal in één keer konden opeten. Ze gooiden om beurten jelly beans omhoog en keken toe terwijl Tecumseh ze uit de lucht hapte.

Het jongetje sprong op het aanrecht en deed een of ander beest na. Hij draaide zijn hoofd heen en weer en stak zijn tong uit.

'Een slang?' vroeg Clark. 'Een kameleon?'

Judy at een jelly bean. 'Die heeft hij nog nooit gezien. Hij is nog nooit in de dierentuin geweest. Tenminste, niet dat ik me kan herinneren,' zei ze.

'O, dan moeten jullie daar echt een keer naartoe,' zei Clark. Terwijl hij het zei, leek dat opeens heel belangrijk. De dierentuin was goed voor hun fantasie, met al die zeldzame beesten, apen die als jonge katjes klonken, vogels met enorme vederdossen die als luisterrijke bagage achter hen aan sleepten. Bij de gedachte daaraan knapte hij al op. 'Zullen we morgen met zijn drieën gaan?'

Het jongetje sloeg van vreugde tegen de zijkant van zijn hoofd. Judy beet op haar lip en glimlachte. Ze leken bijna te blij om zijn uitnodiging te accepteren.

'Dat wil zeggen, als je vader het goedvindt dat ik met jullie naar de dierentuin ga.'

Judy fronste haar wenkbrauwen en schudde haar hoofd. 'Papa is niet zo gauw van slag.'

Clark merkte dat Judy het zo vaak mogelijk over haar vader had. Uit haar bewonderende opmerkingen maakte Clark op dat de mysterieuze meneer Nye iets in vastgoed deed of een soort rondtrekkende ondernemer was, en dat haar moeder al heel lang dood was en dat geen van beide kinderen om haar rouwde of nieuwsgierig naar haar was. Ze woonden in een eenvoudige, maar brandschone stacaravan aan de rand van Clementine en Judy kookte en maakte schoon als hun vader er niet was. Maar als hij thuiskwam, bleven ze de hele nacht praten en mocht Judy bier drinken en één keer had haar vader een Mexicaanse jurk voor haar meegebracht met blauw zigzagband erop en binnenkort zouden ze naar het westen verhuizen en de hele dag buiten zitten met aluminium zonnereflectoren in hun handen.

Maar hij kreeg sterk de indruk dat ze meestal voor zichzelf moesten zorgen en dat ze dat simpelweg accepteerden.

'Goed,' zei Clark. 'Dag gaan we morgen naar de dierentuin.'

'Maar, meneer Adair.' Judy's gezicht betrok. 'Morgen moeten we naar school.'

De volgende ochtend bedacht Clark aan zijn bureau in de logeerkamer dat hij wel een erg slecht voorbeeld gaf als hij uit naam van iemand anders een briefje voor Gordon Stanberry schreef. *Mijn zoon kan vandaag helaas niet op school komen omdat...*

'Wat ben je aan het doen?' Charlotte stond in de deuropening, klaar om naar haar werk te gaan. Ze glimlachte en borstelde haar haar. 'Een bezoekje van de muze?'

Clark keek naar zijn briefje. Hij zag dat hij zelfs een poging had gedaan zijn eigen handschrift te maskeren met het hoekige, ongeschoolde handschrift dat hij voor meneer Nye had bedacht. Hij keek op naar Charlotte. Ze zag er opgewekt uit, goed uitgerust, bereid naar elk antwoord te luisteren. Ze knipperde koket met haar ogen.

'Wat schrijf je?' vroeg ze. 'Is dat voor mij?'

Clark haalde zijn schouders op en stopte het briefje in zijn zak. *Mijn zoon kan vandaag helaas niet op school komen omdat hij zich niet lekker voelt.* Hij wilde haar niet horen zeggen dat het geschift en onredelijk was om zoiets te doen, want dat wist hij al en hij had haar beloofd zich normaal te gedragen. Hij gaf haar een kus en ze keek hem vragend aan.

'Niks belangrijks,' zei hij. 'Gewoon iets onzinnigs.'

Op school vouwde hij het briefje vlug op en schoof het onder Stanberry's deur door. Met zijn jas in zijn hand rende hij grinnikend over het parkeerterrein. Wat maakte het uit? Het was idioot, maar hij vond het leuk om te rennen. Hij spijbelde. Hij zag James en Judy aan de rand van het parkeerterrein wachten, verstopt achter een auto. Toen hij op een drafje over het buitenste basketbalveld liep, kwamen ze tevoorschijn om naar hem te kijken.

Ze hadden plezier in de dierentuin. De kinderen gilden en probeerden elkaar te slaan en aten suikerspinnen. Het laatste verblijf op hun route, een verhoogd betonnen plateau met een paar palmbomen erop, was dat van de orang-oetan. Er zaten geen tralies tussen de aap en de bezoekers, maar een diepe, droge gracht. De kinderen klapten en schreeuwden en probeerden de aandacht van het dier te trekken. Tegen het decor van palmbomen leek de orang-oetan wel bezig aan een geluidloze monoloog. Hij had sproetige handen, kromme benen en een kale oranje schedel, als die van een monnik, omzoomd door een randje haar. Hij leek wel een harige oranje man, met hetzelfde verlangen en hetzelfde besef van wat hem te wachten stond. Toen Clark hem zo op die betonnen verhoging zag staan, beroofd van elke vorm van privacy, voelde hij zich op een bepaalde manier schuldig.

De orang-oetan had peinzend een poosje op zijn hand staan kauwen, maar opeens hield hij daarmee op, alsof hem iets te binnen schoot, en hij draaide zijn hoofd.

'Kijk!' zei Judy tegen Clark. 'Hij kijkt naar u, meneer Adair.'

'Wat?'

'Ja!' zei James. 'Hij kijkt naar u, meneer Adair.'

Ze hadden gelijk. De dikke onderlip van de orang-oetan viel open. De binnenkant was sproetig roze. Hij krabde aan zijn tepel. Clark rechtte zijn rug en vroeg zich af of de andere bezoekers die voor het verblijf samendromden jaloers waren. Waarom vond het dier hem zo verbazingwekkend ongetemd en herkenbaar? Nou, hij was bijvoorbeeld gekleed om naar zijn werk te gaan, maar was niet op zijn werk. Zijn jasje hing losjes over zijn schouder en zijn donkere krullende haar, dat al weken niet geknipt was – zijn kleine verzet als werknemer – begon er een beetje woest uit te zien.

Clark keek naar James en glimlachte. 'Vind je orang-oetans leuk?'

Het jongetje keek zijn ogen uit. 'Het zijn mijn lievelingsdieren,' zei hij.

'Niet waar,' zei Judy. 'Dat zijn draken.'

'Hou je van draken?' Clarks hart maakte een sprongetje. 'Als kind was ik gek op draken. Ik heb er wel honderd boeken over gelezen.'

'Ze bestaan niet,' zei James. 'Hier hebben ze ze niet.'

'Weet je dat heel zeker?' Clark aaide hem even over zijn schouder.

James zuchtte. 'Het kan me niet schelen of ze niet echt bestaan,' zei hij. 'Ik vind ze leuk.'

Daarna draaide hij zich weer naar de orang-oetan.

De woorden troffen Clark als een mokerslag. Het was alsof een fundamenteel raadsel uit zijn eigen jeugd opeens was opgelost. James had gelijk – als een jongetje ergens dol op is, twijfelt zijn liefde misschien nergens aan. Wat maakte het uit of je draken in het wild kon zien of dat ze alleen maar in sprookjes voorkwamen? Het deed er toch niet toe of de winterbeer echt bestond of alleen maar een geschift verhaal was? En het was toch ook niet belangrijk of de geluiden in zijn huis echt waren of dat hij ze zich had verbeeld? Je gelooft wat je gelooft, en een verhaal is gewoon een verhaal zoals een feit gewoon een feit is. Af en toe zei iemand tegen Clark dat hij 'volwassen moest worden' en 'zich niet voor de werkelijkheid moest verschuilen'. Maar als je 'volwassen werd', sloot je je af voor een leven vol onbegrensde mogelijkheden, begon je lessen van vroeger in twijfel te trekken en werden draken een belachelijke leugen, terwijl je ondertussen je best deed om je te verzoenen met het onmogelijke keurslijf van het volwassen ongeloof. Waarom was dat? Hij miste ze. Hij miste een leven met draken erin.

Hij zag James over het puntje van zijn neus wrijven. Zijn zus was op een bankje gaan zitten en lachte naar een paar jongens.

'Mijn moeder geloofde in draken,' bekende Clark zachtjes.

'Echt? Toen ze al groot was?'

'Ja. Ze is nu dood.'

De jongen deed zijn mond peinzend dicht. Toen vroeg hij: 'Hebben de draken haar vermoord?'

'Nee. Ze was ziek in haar hoofd. Er zat iets niet goed in haar knikker.' Clark tikte tegen zijn hoofd. Hij ging op zijn hurken voor de balustrade zitten en drukte zijn voorhoofd tegen het beschadigde metaal. 'Maar ze vertelde me heel gekke verhalen...' In gedachten zag hij haar in de zon staan en zwijgend op het meer en de lucht wijzen. Toen zei hij, half tegen zichzelf: 'Ach, misschien kun je inderdaad wel zeggen dat de draken haar hebben vermoord.'

Clark keek weer op naar de orang-oetan. De orang-oetan keek naar Clark. Het dier vormde met zijn hand een kommetje en stak hem uit naar Clark.

'Wat?' fluisterde Clark. 'Wat wil je in vredesnaam?'

# Dat ene glas

Kort daarna kwam Clark op een avond thuis in een donker huis. Hij had zijn jas al uitgedaan en was door de kamer gelopen voordat hij zag dat Charlotte op de bank naar hem zat te kijken.

'Hoi!' zei hij.

'Hallo, Clark.' Er klonk een zacht getinkel van het ijs in haar favoriete glas. Clark deed het licht aan. Ze kneep haar ogen dicht.

'Wat ben je aan het doen?' Hij ging tegenover haar zitten.

'Denken,' zei ze. 'Denken en drinken.'

'Het is leuk om allitererende dingen te doen,' zei hij. Hij wreef in zijn ogen.

'Waar was je?'

'Ik ben met James en Judy Nye bij het historisch museum geweest,' antwoordde hij. 'Ze vonden het geweldig. Ze konden op foto's zien dat hun buurt vroeger een moeras is geweest. Deze heuvel blijkt ooit als indiaanse uitkijkpost te zijn gebruikt, en ze hielden hier regendansen. Dit is heilige grond. Er wonen hier al honderden jaren mensen, van de indianen tot de Lippets. Geweldig, hè?'

'Hm,' zei Charlotte.

'Ze kwamen de heuvel op...' Hij keek om zich heen. '... en gingen misschien wel in onze achtertuin staan om over de vallei uit te kijken. Ze dansten in het rond en riepen met hun gezang de regengod aan.' Hij keek haar aan. 'Fantastisch, toch?' Hij stond op en liep naar het raam. Aan de rand van de tuin leek de duisternis zich samen te pakken. 'Hoe dan ook, het doet een mens goed om er af en toe uit te zijn,' zei hij. 'Volgens mij is het niet gezond om lang binnen te zitten. Dat doet rare dingen met je.'

'Ik zou het niet weten,' zei Charlotte. 'Ik zou het wel leuk vinden als er een paar rare dingen met me werden gedaan.' Ze nam een slokje gin. 'We zouden vanavond uit eten gaan.'

Clark draaide zich razendsnel om.

'Onze trouwdag,' zei Charlotte.

'O, jezus.'

'Ach, het geeft niet.' Ze stond op en zocht steun bij de rugleuning van een stoel. 'Zit er maar niet mee. Ik hou toch niet van dit soort dagen. Ik heb zelfs geen trek meer. Gin wordt toch van aardappels gemaakt?'

'Verdomme,' zei Clark. 'Hoe kon ik dat nou vergeten?' Hij ging zitten, legde zijn hoofd in zijn handen en leek echt boos op zichzelf te zijn. Toen keek hij op. 'Wacht,' zei hij. 'Ik heb een geweldig idee. Krijg ik een kans om het goed te maken? Ik ben over twintig minuten terug.'

'Nee,' zei Charlotte. 'Ik wil geen geweldig idee. Ik wil jou.

Blijf hier. Ik wil vanavond niet meer alleen zijn. Je weet dat ik het vreselijk vind om alleen te zijn.' Ze wilde naast zich op de bank tikken, maar miste de plek die ze wilde raken. 'Toen je vorige week aan je bureau iets zat te schrijven, dacht ik dat het voor mij was,' zei ze. 'Een verrassing. Voor onze trouwdag.' Ze lachte luchtig. 'Maar eigenlijk hou ik helemaal niet van trouwdagen en verjaardagen en dat soort dingen. Ze pakken altijd heel anders uit dan je hoopt.'

Clark keek naar haar en voelde zijn knipperende ogen prikken. Toen pakte hij zijn autosleutels van de salontafel. 'Ik ga iets voor je halen,' zei hij. 'Je zult zien dat je er blij mee bent. Twintig minuten. Blijf hier.' Bij de deur stond hij even stil en keek naar boven. Daarna keek hij liefdevol naar haar. 'Kruip maar lekker voor de tv. Die staat boven toch al aan.'

'O ja?' vroeg Charlotte.

Charlotte keek een poosje naar de gesloten deur. Ze dacht helemaal nergens aan. Er zat een valluik in haar achterhoofd en alle onzinnige, onbelangrijke gedachten waren een uur geleden al naar buiten gerold. Jaloezie en eenzame gedachten. Al twee weken lang rook hij naar avontuur als hij thuiskwam – naar popcorn, of naar paarden. Hij had haar wel eens meegevraagd, maar ze had nee gezegd in de hoop dat er een tweede, onweerstaanbare uitnodiging zou volgen die bewees dat haar aanwezigheid werkelijk gewenst was. Ze likte met haar tong over haar tanden, die stroef waren geworden van de drank. Tecumseh kwam binnen en liep met klikkende nagels over de vloer naar zijn plekje in de hoek. Ze bewonderde de hond om zijn talent om pas binnen te komen als de kruitdamp was opgetrokken, en weer was ze dankbaar voor zijn dierlijke gezelschap en zelfs voor zijn knorrige gezucht. Even later hoorde ze boven de televisie. Ze kon zich niet herinneren dat ze die had aangezet.

Ze kwam van de bank en zei tegen de hond: 'Wat dom.' Ze pakte haar favoriete glas in haar ene hand en de fles in de andere en gebruikte ze om haar evenwicht te bewaren terwijl ze haar sloffen aandeed. Ze ging de krakende trap op en knoeide wat gin op de vloer toen ze om de balustrade heen liep. Toen ze hurkte om de drank met de zoom van haar ochtendjas op te deppen, hoorde ze heel duidelijk een vreemd geluid – een lachende vrouwenstem. De lach hield lang aan, klonk eenzaam en ging vergezeld van het geluid van krakende beddenveren.

'Oké, zo is het genoeg,' zei een mannenstem.

'Maar het is grappig!'

'Nee, het is helemaal niet grappig. Het is treurig. Hou op met lachen. Je bent dronken.'

Charlotte ging rechtop staan en fronste haar wenkbrauwen. Het klonk helemaal niet als de televisie, maar als een echt gesprek tussen twee mensen achter de slaapkamerdeur.

'Hallo?' zei Charlotte.

Er klonken voetstappen op de houten vloer en opeens drukte Charlotte haar rug tegen de muur, met haar fles gin tegen zich aan geklemd. Verwilderd keek ze om zich heen. Dit was toch háár huis? Haar hart bonkte, de duisternis van de gang leek zich naar twee kanten uit te strekken. Achter de deur hoorde ze gebabbel dat ze niet goed kon verstaan, en toen klonk de mannenstem kordaat: 'Kom. Je moet een nachtpon aan.'

'Huppetee,' zei de vrouw.

Er klonk weer beweging aan de andere kant van de deur, die een klein stukje openstond. Ontzet staarde Charlotte naar het kiertje. Ze kwam een stap dichterbij en stak haar hand uit. Enigszins beneveld knipperde ze met haar ogen, en ze kwam nog wat dichterbij.

'O, schat,' zei de vrouw fluisterend. 'Ik hou ontzettend veel van je.'

'Ja, vooral als je dronken bent.'

'Nee, altijd. Ik hou altijd van je. Voor eeuwig. Als je bij me weggaat, word ik niet eens boos op je.'

'Sst. Doe je armen eens omhoog. Goed zo. Grote meid. Grote, malle meid. Je weet dat ik ook van jou hou.'

'Altijd?'

'Altijd.'

Charlotte stond nu met een wilde blik in haar ogen bij de deur. Ze draaide haar gezicht naar het kiertje en tuurde erdoor. Ze kon maar een heel klein stukje van de kamer zien, maar ze had durven zweren dat ze vlak achter de deur twee mensen van vlees en bloed hoorde ademen. Ze duwde met een snelle beweging de deur open en stapte haastig achteruit naar de balustrade van de trap, alsof ze terugdeinsde voor een afschuwelijk fel licht.

Ze hoorde haar eigen kreet wegsterven en haalde haar

arm van haar gezicht. Maar in de slaapkamer was helemaal niemand. In het vertrek hing de schaduw van de donkerblauwe avond. De sprei leek wit licht te geven en de flikkerende televisie stond geluidloos aan op de ladekast.

'Charlie!' schreeuwde Clark beneden. 'Ik ben er weer! Ik heb eten gehaald bij Happy Palace. Al je lievelingsgerechten. Alles wat je lekker vindt. Met extra zoetzure saus, want ik weet dat je daar gek op bent. Charlotte?'

Charlotte sloeg haar hand voor haar mond en rende de kamer uit. In de gang sloeg ze dubbel en kokhalsde, nog altijd met haar glas in haar hand.

'Charlotte?' Clark liep naar de onderste tree van de trap. Zijn schaduw sprong uitvergroot door het trapgat.

'Ogenblikje!' zei Charlotte. Ze keek vol afgrijzen naar het glas, dat vol vingerafdrukken zat.

In de badkamer goot ze het glas leeg in de wastafel. Ze goot de hele fles leeg in de wastafel. Daarna gooide ze het glas in de prullenbak kapot. Ze wees op haar gezicht in de spiegel.

'Dronken,' zei ze, priemend met haar vinger. 'Getikt. Belachelijk.'

'Charlotte?' vroeg Clark, die zijn hals rekte om naar boven te kijken. 'Alles goed daarboven?'

'Ja.' Charlotte veegde haar mond af en liep de donkere overloop op. 'Niets aan de hand.'

# Nudistenreizen

Ze zaten in de huiskamer, allebei op een uiteinde van de bank, alsof ze als ballast dienden om hem aan de grond te houden. Clark las de krant en Charlotte deed alsof ze een boek las. Ze keek bij het minste of geringste geluid op en haar blik ging de hele tijd naar de trap. Na een poos legde ze het boek neer. Ze vouwde haar handen en knipperde met haar ogen tegen het daglicht.

'En,' zei ze, 'hoe gaat het, Clark? Hoe maak je het?'

Clark keek op. 'Hoe ik het maak?'

Charlotte knikte.

'Goed, hoor,' zei Clark, en hij nam een hapje toast.

'Fijn. Mooie dag, hè?'

Clark glimlachte, keek weer naar de krant en kauwde. Vervolgens veegde hij zijn handen af en stond op. Charlotte stond ook op.

'Ga je ergens heen?' vroeg ze.

Hij keek haar met half dichtgeknepen ogen aan. 'Eh, ja, naar de keuken,' zei hij. Hij verplaatste zijn gewicht naar het andere been.

'Ik ga mee,' zei Charlotte, en ze keek over haar schouder alsof ze verwachtte nog een vrouw in een ochtendjas op de plek te zien zitten waarvan zij zojuist was opgestaan.

In de keuken leunde ze tegen het aanrecht en keek ze naar Clark terwijl die een heel glas jus d'orange leegdronk. Ze wist dat ze raar deed, maar het lukte haar niet de woorden over haar lippen te krijgen: *Er waren hier gisteravond mensen in huis.* Ze lachte hardop, omdat ze besefte hoe belachelijk dat zou klinken. Ze keek naar haar blote voeten. Ze probeerde iets anders te bedenken dat ze zou kunnen zeggen.

'O ja,' zei ze na een poos, want er schoot haar iets te binnen. 'Ik had onlangs toch zoiets geks. Ik keek de post door en vond een tijdschrift met een foto van een man en een vrouw op de voorkant. Ze zaten op een strand. Ik dacht bij mezelf: er is iets raars met die foto. Ik keek nog eens en toen zag ik het: ze waren naakt! Te klein om, nou ja, je weet wel, alle details te zien. Het tijdschrift heette *Naturally* en het ging helemaal over nudistenreizen. Niet te geloven, hè?'

Clark knipperde met zijn ogen. 'Wat heb je ermee gedaan?'

'Weggegooid. Kennelijk sta jij in een of ander adressenbestand, want jouw naam stond erop. Moet je je voorstellen, een heel tijdschrift alleen over nudistenreizen. Zoiets belachelijks heb ik nog nooit gehoord.'

'Ik had het besteld,' zei Clark. 'Het was een gratis aanbieding bij *National Geographic.* Je mocht een tijdschrift uitzoeken uit een lijst.'

Charlotte stopte een lok haar in haar mond. 'Wát zeg je?'

'Waarom heb je het weggegooid? Mijn naam stond erop.'

'Ik... ik wist niet dat jij geïnteresseerd was in nudisten-reizen. Ik was er zonder meer van uitgegaan...'

'Nooit doen.' Clark draaide zich naar de gootsteen om en goot het restje jus d'orange erin. 'Het is heel interessant. Het verband tussen naturisme en nudisme. Het heeft niks met seks te maken. Er staat geen enkele naaktfoto in. Het is een tijdschrift voor het hele gezin.'

'Die man en die vrouw op de voorkant waren naakt.'

'Je zei net zelf dat ze te ver weg waren om iets te zien.' Clark deed zijn armen over elkaar. 'Het leek me gewoon interessant, dat is alles. Ik probeerde er onbevooroordeeld naar te kijken. Denk je dat ik de rest van mijn leven leer-lingbegeleider op een middenschool wil zijn, hier wil wo-nen en altijd hetzelfde wil doen? Ik wil me voor dingen openstellen. Vrij zijn. Nieuwe dingen uitproberen.'

'Ik wilde je niet boos maken. Ik...' Charlotte slikte. 'Het spijt me,' zei ze. 'Het spijt me dat ik je tijdschrift heb weg-gegooid.'

'Al goed.'

Clark deed een kastje open en pakte een pot cocktail-olijven. Hij schroefde hem open en rook aan de inhoud.

'Wat raar om dat zo te eten,' zei Charlotte.

'Ik, raar?' zei hij. 'Jij bent achter me aan gelopen naar de keuken.' Clark zuchtte diep en maakte een wegwuivend ge-baar. 'Gaat het wel goed met je, Charlotte? Je bent zo schich-tig...'

173

Precies op dat moment gilde Charlotte, alsof ze op dat woord had gewacht. Ze wees naar de achterdeur. Clark draaide zich met een ruk om, waardoor hij het glas dat vlak bij zijn hand stond omgooide. Het viel op de keukenvloer in honderd glinsterende stukjes. Voor de achterdeur stond een jongen naar binnen te turen. Hij zwaaide naar hen.

'Ha, Jimmy!' zei Clark. 'Wacht even!'

Clark keek om naar Charlotte, die met haar hand op haar hart stond.

'Jezus, Charlotte,' zei hij. 'Het is dat jochie maar. Ik had beloofd vandaag met hem naar het park te gaan om de eendjes te voeren.'

Ze keken naar de fonkelende vloer.

'Mag ik alsjeblieft mee?' vroeg Charlotte.

'Eendjes voeren? Dat is toch niks voor jou?'

Clark sloeg zijn ogen neer. En stak toen zijn hand uit.

'Ja, hoor,' zei hij. 'Je mag mee.'

Maar zij kon vanwaar ze stond, in haar eigen keuken midden in een veld van scherven, geen kant op.

# Gulle gaven

Clark stopte en ging naast haar liggen.

'Shit,' zei hij. 'Ik weet niet wat ik moet zeggen.'

'Het is niet erg,' zei Charlotte, terwijl ze de lakens over haar naakte lichaam trok. De ochtendzon tekende strepen op haar huid. 'Je hoeft niets te zeggen.' Ze keek uit het raam. De bomen waren inmiddels helemaal kaal. Ze stak haar hand uit naar haar ochtendjas, maar die lag er niet.

'Verdomme nog aan toe,' snauwde ze tot haar eigen verbazing. 'Heb jij mijn ochtendjas gepakt?'

'Nee,' antwoordde hij.

Ze keek hem aan.

Zijn ogen werden groter. 'Echt niet, Charlotte.'

Ze ging weer liggen en deed haar ogen dicht. 'Ik kan mijn parelketting ook niet vinden. Ik heb er gisteren een uur naar gezocht.'

'Het ligt vast wel ergens.' Clark pakte zijn nieuwe exemplaar van *Naturally* en bladerde door het tijdschrift, dat plakte van de jam.

'Zou het gestolen zijn?' vroeg Charlotte.

Clark liet het tijdschrift zakken. 'Door wie dan?'

'Nee, laat maar. Ik weet het niet.'

Charlotte keek weer naar de grijze boomtoppen. Het was hartje november en in de verte kon ze het volgende stadje duidelijk zien liggen. Ik wou dat het weer lente werd, dacht ze. Dan kon ik tenminste niet zo ver kijken. In de wind kraakte het huis weer als een schip.

'Heb je zin in toast met jam?' vroeg ze.

'Nee, dank je.'

'Je werkt de laatste tijd te veel junkfood naar binnen. Je eet als een tiener. Wanneer heb je voor het laatst bladgroente gegeten? Gisteren heb ik een karbonade voor je gebakken. Je lievelingskostje, maar je had geen trek.' Huiverend kroop ze dieper onder de dekens, verder van hem af. Na een paar tellen richtte ze zich op en zei ze: 'Vinden andere mensen het niet raar dat je zoveel met die kinderen optrekt? Is het verstandig, Clark? Wat vindt Stanberry ervan?'

'Ik ben leerlingbegeleider. Ik moet kinderen steunen en adviseren. Ik weet zeker dat Stanberry zou zeggen dat ik gewoon mijn werk doe. En ik vind het leuk om dingen met ze te ondernemen, en zij vinden het leuk met mij. Zij vinden mij toevallig heel interessant.'

'Rustig maar. Je hoeft niet zo gepikeerd te doen. Ik vraag het alleen maar. We liggen hier maar te liggen, dus ik begin een gesprek.'

'Wil je vrijen? Wil je weer een miljoen zaadcellen weggooien?'

'Wat?' Charlotte klauwde haar haar uit haar gezicht. 'Wát zei je?'

'Bladgroente,' bromde Clark. 'Dat arme kind heeft de zorg voor haar broertje terwijl ze nauwelijks voor zichzelf kan zorgen. Nog maar vijftien, en geen mens geeft om haar. Als iemand zou moeten begrijpen hoe dat voelt, ben jij het wel.' Hij keek haar recht in de ogen.

'Maar je weet helemaal niets van ze. Wie zijn ze?'

'Het zijn kinderen. Gewoon kinderen. En het kan me trouwens niet schelen wat andere mensen denken,' zei Clark tegen het plafond. 'Ja, soms breng ik James na school naar huis. Nou en?'

'Laatst had je hem mee naar óns huis genomen. Ik had net gedoucht en toen stond hij daar. Boven aan de trap. Hij zal toch niets hebben gestolen?'

'Je klinkt vreselijk jaloers.'

'Jaloers? Het is eng om ineens een kind in huis te hebben. En hij doet nauwelijks zijn mond open. Laatst zat hij in de tuin met een paar vogels te praten. Alsof hij in gesprek met ze was. Ik vroeg of hij met de vogels babbelde en toen zei hij: "Nee, ik geef gewoon antwoord." Waarom zou ik jaloers zijn op zo'n kind?'

Clark ging op zijn rug liggen.

'Ik ben vaak jaloers op kinderen,' zei hij. 'Ik wou dat ik de klok kon terugdraaien. Dat ik in het verleden kon rondlopen en bepaalde dingen terug kon krijgen.'

'Wat wil je in vredesnaam terugkrijgen?'

'Ik weet het niet.' Toen zei hij: 'Allerlei gaven.'

'Gaven,' zei ze.

'Mogelijkheden. Onschuld. Geheugenverlies. Ach, ik weet het niet. Soms wil ik al die moeilijke volwassen dingen als problemen, geschiedenis en teleurstellingen het liefst achter me laten en weer in een wereld vol gulle gaven herboren worden. Een wereld waarin alles weer mogelijk is.'

Charlotte slikte.

'Ik geloof niet dat we in een wereld vol gulle gaven geboren worden,' zei ze.

'Nou, daarin verschillen we dus als dag en nacht van elkaar.' Toen Clark naar haar keek, verdween zijn ergernis. Ze knipperde ontdaan met haar ogen. 'Kom op, Charlotte. Ik bedoel het niet rot. Het was gewoon een opmerking.'

'Is ons huwelijk ook een van die moeilijke dingen?' vroeg ze. 'Wou je soms dat je niet met mij getrouwd was?'

'Charlotte, maak er nou geen probleem van. Het was gewoon een onschuldige opmerking. Over mezelf.'

'Toch...' begon ze ademloos, maar het volgende moment schaamde ze zich, want ze had eigenlijk geen reden om tegen hem in te gaan. 'Ik vertrouw ze gewoon niet,' zei ze.

'Als je meeging, zou je ze wel vertrouwen. Dan zou je zien dat het heel leuke kinderen zijn, maar je laat het altijd afweten. Sinds wanneer is het zo druk op je werk? Heb ik misschien een bericht gemist over een brand in een sweatshop?'

'Ik werk over omdat ik hier niet in mijn eentje wil zijn. Ik ben bang als ik alleen thuis ben.'

Inmiddels had ze het koud gekregen, en ze rolde naar de zijkant van het bed en zette haar voeten op de vloer. Ze wilde hem vertellen over het gelach in de logeerkamer. Ze wilde zeggen dat ze doodsbang was dat ze het geluid weer zou horen, maar dat was dwaas. En ze wilde niet al haar geloofwaardigheid op het spel zetten. Hij geloofde het verhaal over de ontbrekende ochtendjas en de verdwenen parelketting ook al niet.

'Laat ook maar,' zei ze. 'Ik weet niet meer wat er aan de hand is. Ik geloof dat ik mijn eigen oordeel niet meer kan vertrouwen.'

Achter haar wreef Clark langzaam over zijn neus, en daarna vouwde hij zijn handen op zijn borst. Hij zette een vriendelijke, nogal filosofische blik op.

'Misschien moet je je angsten eens het hoofd bieden.'

Met open mond draaide ze zich om. 'Ik? Moet ík mijn angsten het hoofd bieden?'

'Om een voorbeeld te noemen...' zei Clark, terwijl hij zich op zijn ellebogen oprichtte, '... waarom heb je zo'n hekel aan kinderen?'

Charlotte keek hem aan. 'Hoe kom je daar nou bij? Ik ben dol op kinderen.'

'Niet waar. Waarom vind je die kleintjes zo eng? Waarom wil je zelf geen kinderen?'

'Je probeert gewoon de aandacht van jezelf af te leiden!'

'Waarschijnlijk wel,' zei hij. 'Maar toch wil ik het graag weten.'

Charlotte keek hem aan en knipperde met haar ogen.

'Ik weet het niet,' zei ze. 'Ik weet het niet.'

'Denk er dan maar eens goed over na.' Clarks stem klonk

niet onvriendelijk. Hij ging weer op zijn rug liggen en keek naar het plafond. 'Ik wil graag weten waar we zo bang voor zijn.' Charlotte ging ook weer liggen en naast elkaar haalden ze een poosje zwijgend adem. Hij vouwde zijn handen open. 'Wat zou het toch zijn?' fluisterde hij.

Na een stilte van een paar minuten stak hij zijn hand uit en streelde hij haar haar. Het was zo'n teder, ontwapenend gebaar dat er een traan over Charlottes neusbrug rolde en op het kussen viel.

'O, Charlie,' fluisterde hij. 'Wordt het nooit eenzaam, alleen jij en ik tegen de rest van de wereld?'

'De "wereld" bestaat niet,' zei Charlotte, terwijl ze haar gezicht met haar pols schoonveegde. 'Er zijn alleen maar een heleboel afzonderlijke mensen.'

# Onder de sneeuw begraven

Vanuit de lucht, de weidse decemberlucht, wrong de eerste sneeuwvlok zich tevoorschijn en buitelde naar beneden.

'Sneeuw,' zei Clark, en hij keek omhoog.

'Sneeuw!' zei Charlotte, en ze zette haar ijsmuts af. 'Onze eerste sneeuw aan Quail Hollow Road.'

De vlokken doken uit het niets op en joegen elkaar na, witte puntjes, als de as van een uitgedoofde ster. De sneeuw was niet voorspeld en kwam geluidloos en zonder ophef. Hij viel zo exact als kattenstapjes. En toen was hij opeens overal, hij hoopte zich op in de kuiltjes van de bomen en legde zich als een deken over het gras.

Charlotte liep de straat op en keek vanaf de heuvel naar het stadje. De torenspitsen van de kerken hadden al een wit glazuurlaagje. Zelfs van deze afstand zag ze de groen oplichtende wijzerplaat van de klok in het centrum. De lucht in het dal was grijs geworden, precies dezelfde kleur als de kale boomtoppen, waardoor de aarde en de lucht aan de horizon met elkaar versmolten. De straatlantaarns leken op ouderwetse gaslampen, met een oranje aureool dat de sneeuwdeeltjes deed oplichten. Ze wilde heel graag dat ze de tijd kon stilzetten om de sneeuw roerloos in de lucht te zien hangen. Ze wilde de vlokken in het lamplicht zien aarzelen, boven de grond, als een goed idee dat de tijd neemt om in een hoofd op te komen.

'Kijk toch,' fluisterde ze.

Clark nam haar in zijn armen. Hij spreidde zijn vingers in zijn handschoen en ze keken toe terwijl er een paar vlokken op de wol vielen en smolten.

'Ik hoop dat het altijd blijft sneeuwen,' zei Clark. 'Dat we onder de sneeuw worden begraven.'

'Toen ik klein was, kleedde ik me altijd alvast op de sneeuw,' zei Charlotte, 'want ik dacht dat die vanzelf zou komen als ík er klaar voor was.'

Clark liet zijn kin op haar schouder rusten. 'In de zomer dat mijn ouders, Mary en ik in Florida woonden, vroegen de kinderen daar me altijd de sneeuw te beschrijven. "Hoe bedoel je, het smaakt nergens naar?" zeiden ze. "Het moet toch érgens naar smaken?" Ze waren hevig ontzet. Ze dachten ook dat sneeuw iets levends was. En dat je het in een potje kon bewaren, net als vuurvliegjes.'

Aan de voet van de heuvel zagen ze twee stevig ingepakte gedaanten de hoofdweg over hollen en hun straat in komen. Eén van de twee had een slee.

'Ha,' zei Clark. 'Ze gaan door onze straat naar beneden sleeën.'

'Dat is belachelijk,' zei Charlotte. Ze schurkte zich in zijn armen. 'Papa Gagliardo nam me altijd mee naar het park toen ik heel klein was, vlak nadat ik bij hem en mama was komen wonen. Ik vond het leuk om over de heuveltjes te racen, *bonke-bonke-bonk*, terwijl die grappige, kolossale man in zijn lange winterjas achter me aan holde.'

De sneeuw viel inmiddels schuin omlaag. Witte vlagen werden omhooggezwiept, de duisternis in, en gleden daarna terug naar de aarde. De stilte van de vallende sneeuw werd nu begeleid door het geschraap van sneeuwschoppen. Bedrijvige stemmen ergens aan de andere kant van de boomgaard. Het viel moeilijk uit te maken waar geluiden vandaan kwamen, en daarom hoorden ze de kinderen ook pas roepen toen ze vlakbij waren: *Meneer Adair! Meneer en mevrouw Adair!*

De kleinste gedaante, die een skibroek aanhad, gleed een halve meter naar beneden voordat hij door de andere overeind werd geholpen. Ze droegen geen van tweeën laarzen.

'Ik weet dat het idioot is dat we hier in een sneeuwstorm komen aanzetten,' riep Judy toen ze binnen gehoorsafstand was, terwijl ze een al behoorlijk sleetse sjaal voor haar mond wegtrok, 'maar mensen hebben wel idiotere dingen gedaan.'

'Ja, misschien een of twee keer,' zei Clark lachend.

Het jongetje zette zijn gebreide Steelers-muts af. Aan zijn pols was een plastic sleetje vastgebonden, alsof het een huisdier was dat niet mocht weglopen.

'Hallo, allebei,' zei Charlotte.

'Hallo,' zeiden de kinderen.

'Moet je kijken,' zei Clark. 'Is het niet schitterend?'

Ze draaiden zich allemaal om en keken vanaf de heuvel naar de sneeuw die op het stadje neerdaalde. De hemel was enorm weids. Rijen achterlichten trokken rood opgloeiend de stad uit.

'Soms sneeuwde het heel lang achter elkaar door,' zei James. 'Dan moesten de kolonisten gedroogde bessen en gemalen maiskorrels eten.'

Clark lachte de jongen toe, die in zijn eigen woorden iets herhaalde wat ze in het historisch museum hadden gehoord. Hij legde een hand op het hoofd van het kind. 'Zo is het,' zei hij.

'We zaten thuis en verveelden ons,' zei Judy, 'en toen besloten Jimmy en ik terug te gaan naar onze roots. U weet wel, de sneeuw.'

'Liggen jullie roots dan in de sneeuw?'

'We hebben eskimobloed,' zei Judy.

'Maar jullie hebben niet eens laarzen aan.'

Een windvlaag stoof de heuvel op en sloeg tegen hun lijf. 'Wat?'

'Jullie hebben niet eens laarzen aan!' riep Charlotte weer. 'Ik weet niet of het wel zo'n goed idee is om zonder laarzen te gaan sleeën!'

'O, maar we zijn niet voor onze lól gaan sleeën,' antwoordde Judy. 'We komen jullie nog een verrassing brengen.'

'Hè?'

'Een cadeautje!'

'Kom binnen,' riep Clark. Toen ze begonnen te lopen, lieten ze zwarte voetafdrukken achter.

Terwijl de kinderen een kop warme chocola zaten te drinken, ging het nog harder sneeuwen. Een sneeuwruimer ploeterde door de straat, met felle koplampen in het middagduister. Iedereen had een loopneus. James zat heel geconcentreerd de marshmallows uit zijn chocola te vissen en Judy's hoofd was één enorme bol van warrig haar, zodat ze er omlaag turend in haar beker als een helderziende uitzag.

'Het zal nu wel zo ophouden,' zei Charlotte.

'Ik wil niet dat het ophoudt,' zei James. 'Ik wil morgen niet naar school.'

'James,' klaagde Judy. 'Een beetje respect voor meneer Adair graag! Verdorie. Het is sowieso bijna kerstvakantie.'

'O,' zei Clark, en hij keek op. 'Ik zou anders ook heel blij zijn met een dagje sneeuwvrij. Ik tel de dagen tot de kerstvakantie.'

'Zie je nou? Zie je nou?' zei James.

'Nou, ik ga heel graag naar school.' Judy veegde haar handen af aan haar spijkerbroek en haalde een plastic tas uit haar parka. 'Oké,' zei ze. 'We komen net van oma...'

'En die breit,' zei James.

'... en die breit, en...'

'Ik wist niet dat jullie hier in de buurt een grootmoeder hadden,' zei Clark. 'Daar hebben jullie nooit iets over gezegd.'

'Ze breit,' zei James.

'Ze breit en bakt taarten.'

'Ze bakt heel vaak taarten.'

'En een paar weken geleden zeiden we tegen haar: oma, we hebben een vriend die we graag iets willen geven, die man die Jimmy's leven heeft gered, dat heeft nog in de krant gestaan, weet u wel? En zij zei: laat dat maar aan mij over! Voor die man ga ik de mooiste trui ter wereld breien! En toen ik 'm zag zei ik: het is u gelukt, oma! Dat ding is perféct voor hem. Vrolijk bijna-Kerstfeest.'

Judy gaf de plastic tas aan Clark. Zijn ogen werden vochtig toen hij de trui zag, verpakt in een dun wegwerptasje dat nat was van de sneeuw.

'Haal hem er nou maar uit,' zei Charlotte. 'Denk om de sneeuw.'

De kinderen keken uit het raam, verrukt van het gevaar, en riepen: 'Haal hem eruit! Haal hem er nou uit!'

Clark pakte de trui uit de tas.

Het was een mooie trui. Hij had heel lange mouwen met suède opzetstukken en was gemaakt van wol in de kleur van alfalfa.

Charlotte hapte naar adem en had bijna een verbaasde uitroep geslaakt, want er zat een merkje aan de binnenkant van de zoom, maar Clark zei: 'Prachtig. Ik trek 'm nooit meer uit. Ik hou 'm zelfs onder de douche aan.'

'Niet onder de douche!' riepen de kinderen.

'Maar hoe moet ik 'm dan wassen?'

'In de wasserette!'

'En hoe krijg ik mezelf helemaal in de wasmachine?'

Hij trok de trui aan en nam geaffecteerde poses aan waar de kinderen om lachten.

'Daarmee blijft u nog warm in de vriezosfeer,' zei James. 'Of in een ijsblokjesfabriek!'

Judy stond op. 'Nou, het ziet er niet best uit buiten, maar we hebben onze ouwe trouwe slee. En vanaf hier gaat het bergafwaarts, zoals dat zo mooi heet. Bedankt voor de warme chocola.'

Ze gaf haar broertje een klap op zijn been. De jongen keek verbaasd. Hij liet zich met lichte tegenzin van de bank glijden, alsof hij had verwacht te kunnen blijven waar hij was, en likte slaperig wat chocola van zijn pols.

Clark keek naar de sneeuwstorm buiten. De wind was afgenomen, maar het sneeuwde nog steeds.

'Het ziet er inderdaad niet best uit,' zei hij na enig nadenken. 'Volgens mij is het niet verstandig om nu naar buiten te gaan.'

'We zullen niet onder de sneeuw begraven worden, hoor,' zei Judy.

'Moet je kijken,' zei Clark tegen Charlotte. 'Je kunt de overkant van de straat niet eens zien.'

'Oké,' zei Charlotte. 'Goed.' Ze liep naar de keukendeur en trok haar haar met haar vuist bijeen. Tegen de kinderen zei ze: 'Blijven jullie maar hier tot het opklaart. We brengen jullie wel met de auto thuis.'

'O, mevrouw, meneer,' zei Judy terwijl ze alweer op de bank neerplofte. 'Wat ontzéttend aardig van u.'

Maar het hield niet op met sneeuwen. Het sneeuwde een groot deel van de avond door.

Op de geluidloze tv stond de weerman hulpeloos voor zijn kaart te gebaren. Rondom Charlotte was het stil in de kamer. De kinderen lagen op de bank te slapen en Clark in zijn stoel. Onder de eettafel hoorde ze zelfs de gelijkmatige ademhaling van Tecumseh. Alleen zij en de weerman bleven wakker. Van tijd tot tijd wierp ze steelse, ongelukkige blikken in de richting van de kinderen, met de trui op schoot. Ze bevoelde het merkje van Shand aan de binnenkant van de zoom. Ze dacht aan haar parelsnoer en liet alles wat er sinds Halloween was gebeurd telkens opnieuw knarsetandend de revue passeren. Oma, dacht ze, en ze kneep haar ogen half dicht.

*Je weet helemaal niets van ze,* klonk haar eigen stem, zo duidelijk alsof ze hem werkelijk hoorde. *Wie zijn ze?*

*Het zijn kinderen. Gewoon kinderen.*

Misschien kon ze eens in de zakken van het meisje kijken. Snel haar hand erin laten glijden om naar bewijzen te zoeken. Ze stond op. Het jongetje trok in zijn slaap met zijn been. Clark maakte smakkende geluiden en wendde zijn hoofd af. Charlotte boog zich over de kinderen heen, van zo dichtbij dat ze de wasachtige binnenkant van hun oren kon zien en hun snoepadem kon ruiken. Ze liet haar hand langzaam naar het ribfluwelen jasje van het meisje gaan. Rondom haar kraakten het huis, de vloerplanken en de muren, alsof ze kreunden in de wind. Toen hoorde ze boven het geluid van blote voeten die door de gang naar de badkamer liepen. Een luide, lome geeuw. En een onmiskenbare boer.

Ze trok haar hand terug, tot het uiterste gespannen. Tecumseh stond met gespitste oren bij de drempel van de kamer.

'Clark,' zei ze, en ze schudde aan zijn schouder.

Clark keek haar met omfloerste blik aan. 'Wat is er?'

'Ik... niks,' zei Charlotte met een blik over haar schouder.

'Kom mee naar boven, naar bed. Het is al laat.'

Het bleef tot diep in de nacht sneeuwen. Toen Clark wakker werd, half overeind kwam en op zijn ellebogen leunde, zag hij dat zich in alle vier ruiten van het kruisraam sneeuw had opgehoopt. Hij draaide zich om in bed. Hij kon niet meer in slaap komen. Naast hem lag Charlotte te snurken, en de smeltende sneeuw op het slaapkamerraam wierp bewegende schaduwen op haar huid. Hij keek neer op het slapende, porseleinen gezicht. Met die vallende sneeuw achter zich leek ze op een figuurtje in een sneeuwbol. En toch was haar lichaam heel warm als ze sliep. Hij vroeg zich af waarom ze hem naar zich toe leek te trekken zonder dat ze het zelf wist.

Hij streek een haarlok achter haar oor en ze trok in haar slaap rimpels in haar neus.

'Charlotte,' fluisterde hij.

Hij meende dat hij haar nu wel kon vertellen wat hij wilde, nu hij het wist. Hij wilde het soort leven leiden waarin kinderen veilig waren. Hij wilde dat er elke nacht kinderen in zijn huis sliepen. Zijn eigen kinderen. Met zo'n leven wilde hij een nieuw begin maken. Hij wilde net zo'n spannende ouder zijn als zijn moeder, maar dan zonder het gek worden. Hij wilde in het donker op kinderspeelgoed trappen, ze leren hun tanden te poetsen en ze 's ochtends de trap af zien komen met van die gekrenkte gezichtjes die kinderen hebben als ze net wakker worden. Hij boog zich over haar heen en omhelsde haar. Hij deed zijn ogen dicht en geloofde even dat hij in staat was dat allemaal te zeggen. Toen rolde hij zich heel voorzichtig boven op haar, met zijn pyjama helemaal aan. Onder de dekens voelde hij de vorm van haar heupen en benen. Het bed kraakte en hij hield in, steunend op zijn knokkels.

'Mmm,' mompelde ze. 'Magge.'

Hij begon een beetje heen en weer te bewegen. Hij zag een lachje om haar lippen verschijnen. Hij deed zijn ogen dicht. Het heen-en-weer-gaan was meditatief, troostend, een aangename beweging, en weldra werd hij bevangen door dromen over meren, naakt zwemmen in meren, Kiki Zuckerman en de zon op zijn lijf. Hij zette zijn tanden stevig op elkaar en wendde zijn hoofd af. Hij herinnerde zich de specifieke opwinding als je als puber 's nachts het huis uit sloop, de kier licht die zo beschuldigend op het lege bed kon vallen, de jongensachtige zondigheid die alle kuise draadjes deed knappen...

Plotseling hoorde hij een ongelovige lach onder zich. Hij keek omlaag, recht in Charlottes open ogen.

'Wat doe jij nou?' zei ze. 'Je had het me gewoon kunnen vrágen.'

Clark veegde zijn vochtige voorhoofd af met de mouw van zijn pyjamajasje.

'Wacht, wacht...' zei hij. Hij deed zijn ogen weer dicht, geïrriteerd, hulpeloos. Hij stond machteloos tegenover de heerlijkheid van het gevoel, van het meer, van de herinnering, van het verlangen om te ontsnappen, in het koele water te duiken. Hij probeerde niet te voelen dat zijn pyjama langs zijn huid schuurde. En toen hoorde hij dat een schrille stem zijn naam riep. Wacht nou gewoon even, verdorie, dacht hij. Want hij was er bijna, op het randje, zijn lichaam viel al naar voren en daar wás het – de gulle gave – en hij schoot het intens koele water in.

Hij voelde een tik tegen de zijkant van zijn hoofd.

Hij ging zwaar naast haar op het bed zitten en knipperde met zijn ogen. 'Au,' zei hij.

'Ik zei: ga van me af!' gilde Charlotte. 'Ga van me af!'

Ze schopte de lakens weg en ging naast het bed staan, haar gezicht strak van woede. In het maanlicht wikkelde haar nachtpon zich los van haar benen. Ze legde haar beide handen op haar hoofd.

'Wat dééd je nou, Clark? Je leek wel een machine, zonder enig gevoel.'

'Ik bedoelde het niet zo,' zei Clark. 'Ik geloof dat ik...'

'Je hebt me pijn gedaan!' Ze omarmde zichzelf en rilde. Ze staarde naar de schaduwen op de vloer. 'Je maakte me bang!'

'Ik was...' Zijn stem klonk hees, bijna onverstaanbaar. 'Teruggegaan naar het verleden.' Charlotte keek naar hem; haar gezicht gloeide. Hij ging op de rand van het bed zitten, met zijn pyjamajasje open en zijn buik onaangenaam uitpuilend op zijn schoot. Zijn wezenloze blik joeg haar angst aan.

'Godverdomme! Klootzak!' riep ze. 'Ik pak je al zo lang met fluwelen handschoenen aan, en eigenlijk wil ik je alleen maar door elkaar rammelen. Je ziét het niet. Alsof je niet wakker bent!'

'Stil,' zei Clark. 'De kinderen. Beneden.'

'Fuck die kinderen!'

'Hé. Ophouden nu.'

'Ik ben dit spuugzat! Wat is hier toch aan de hand?'

'Christus. Wil je alsjeblieft zachter praten?' Hij had zich van haar afgewend en praatte nu tegen het raam. 'Ik bedoelde het niet zo, oké? Geloof je niet dat dit voor mij ook moeilijk is?'

'Nee. En weet je waarom niet? Omdat jij wordt vertroeteld en in de watten wordt gelegd. Jij loopt in je droomwereld rond en ziet iedereen in je omgeving als een kindermeisje. Je hebt uiteindelijk dan toch nog een moeder van me gemaakt. Weet je waarom ik geen kinderen wil, Clark? Omdat ik jou al heb!'

Hij keek met een ruk haar kant op.

'Hou op!' siste hij. 'Hou op. Je overdrijft schromelijk. Waarom moet je altijd zo overdrijven?'

'Omdat ik je iets van mijn eigen teleurstelling terug wil geven! Ik wil dat jij die ook voelt!' Ze klemde haar handen tegen haar borst. 'Ik had gedacht dat je van me zou houden. Maar je bent ergens anders. Je bent er niet.'

Ze hoorden beneden een doffe klap.

Plotseling viel een zwart, gevleugeld iets in Clarks borstkas van zijn tak en vloog hem zwaar en nat klapwiekend naar de keel. Het zwarte ding dekte zijn geest af met zijn veren. Hij klom op het bed, keek naar zijn vrouw op slechts enkele centimeters afstand en gromde: 'Wil je weten wat de echte reden is dat we geen kinderen hebben?'

Hij ging achteruit en zijn ogen glansden duister.

'Dat weet ik al. Omdat ik het niet wilde en jij daarmee hebt ingestemd. Jij wilde dolgraag trouwen, en heel snel. Je hebt ermee ingestemd!'

'Dat is niet de echte reden,' zei Clark.

'Nee! Ik geloof toch niet wat je zegt! Ik geloof je niet meer. Je bent er niet echt. Je bent samen met je moeder doodgegaan. Ja! Je hebt je in het graf geworpen! Je bent een groot rondzwevend niets.'

Clark begon te lachen. Zijn gelach maakte Charlotte bang. Het kraste kleine groeven in de lucht. Zelf wist hij niet waar het gelach vandaan kwam of wat het beduidde. Er was iemand beneden in de keuken, bij de gootsteen. Het geluid van water. De deur van de ijskast. Zo laat, zo donker.

Charlotte trilde. 'Waarom lach je?'

'Om de reden,' zei Clark.

'De reden?'

'De reden dat we geen kinderen hebben. Het is zo simpel. Ik zag het de hele tijd pal voor mijn neus. Het komt omdat jouw hart niet groot genoeg is.'

Er viel een korte, akelige stilte.

'Nee. Dat is niet waar,' zei Charlotte na een poosje, en haar stem schoot omhoog. 'Het is omdat ik het niet wil. Het is omdat ik niet wil dat er hier honderd kleine jijtjes rondrennen.'

'Jouw – hart – is – niet – groot – genoeg.' Hij sprak elk

woord uit met zijn nieuwe, krachtige stem. Er streek een tochtvlaag van het trillende raam langs haar heen. 'Je hart is hard en klein. Je wurgt het met je angst en...'

'Hou op!'

'... wantrouwen jegens alles.'

'Ophouden!' Ze begroef haar gezicht in het kussen en riep: 'Neem dat terug!'

'Nee.'

'Ga dan maar weg! Ga maar met je vriendjes spelen! Leugenaar. Idioot. Maar ik zou ze maar wat beter in de gaten houden, Clark. Want je hebt geen idee hoe erg ze je te grazen nemen.'

Ze tilde haar hoofd op en leek de woorden bijna uit te spugen. 'Waar denk je dat je koperen boekensteunen gebleven zijn, en mijn parelsnoer en mijn ochtendjas? Ze bestélen ons, Clark. Ik probeerde er vorige week al over te beginnen, maar jij werd kwaad. Op míj! Ik wil ze hier niet meer zien! Ik wil mijn eigendommen terug! Ik wil jou.'

'Ik ben niet een van jouw eigendommen.'

'Noem het zoals je wilt,' zei Charlotte, en er rolden tranen uit haar ogen. 'Maar als we ons niet volledig aan de ander willen geven, hadden we niet moeten trouwen.'

Clark zweeg even. Zijn ogen vernauwden zich.

'Je bent jaloers. Jaloers op iedereen die mij aardig vindt. Die kinderen. Mijn eigen móéder.'

'Je moeder? Die sleurde jou mee de diepte in! Ooit heeft ze misschien van je gehouden, maar toen werd ze gek. Je hebt geen idee hoezeer je vader en ik je hebben beschermd.'

'Je liegt.'

'Ik lieg niet. Vraag het hem maar! Als je mij niet gelooft, ga het dan maar aan je vader vragen!'

'Die kinderen stelen niet van ons,' zei Clark, en hij priemde met een vinger naar haar. 'Dat doe jij zelf. Jij wantrouwt iedereen. Je vertrouwt zelfs een kínd niet.'

'Die trui! Ik heb die trui die ze jou gaf met eigen ogen bij Shand zien hangen. Ik had 'm bijna zelf voor je gekocht, maar hij kostte honderd dollar. Ga maar kijken! Waar komt die oma opeens vandaan? Het is simpel. Ze hebben tegen je gelogen. Je bent wanhopig op zoek naar iemand die van je houdt. Ik sta hier, vlak voor je neus, idioot!'

'Ik heb er genoeg van om hiernaar te luisteren. Ik ben het zat.' Clark maakte een kwaad, vaag gebaar. Zijn lippen trilden. 'Dit verstikkende huisje. Dit gedoe met jou. Blijf, zit, voet. Word niet te anders. Word niet zoals zíj. Ik ga in de andere kamer slapen.'

'Ja, loop maar weg, als een kind. Dat bedoel ik dus. Durf je niet hier te blijven om met je eigen vrouw te praten? Blijf! Praat met me.'

'Blijf!' schreeuwde Clark terug. 'Zit!'

'Zo bedoel ik het niet.'

'Weet je het zeker?'

Hij stapte van het bed en beende de deur uit, bukte zich om zich niet te stoten aan de lage deurpost. Een ogenblik later kwam hij weer binnen.

'Gulheid!' riep hij. 'Vriendelijkheid! Spontaniteit! Probeer het eens, Charlotte! Waarom verstop je je? Ik ben tenminste deel van de wereld. Ik doe een poging. Soms ben ik misschien gek, maar ik doe in elk geval een poging. Ik verstop me niet uit schaamte omdat ik niet volmaakt ben. Omdat mijn moeder me in de steek heeft gelaten. Jij mist het echte leven. Je bent te beschermd.' Hij leunde tegen de muur, vlak naast het vuistgrote gat in de pleisterkalk, en boog het hoofd. 'Hé, Charlotte,' zei hij, zachter nu, 'waarom huil je? Jij huilt nooit. Ik kan je niet vertrouwen. Het voelt als een trucje.'

Charlotte voelde geschrokken aan haar gezicht, dat nat was. Ze veegde haar hand langzaam af aan het laken.

'Jouw moeder heeft je ook in de steek gelaten,' zei ze sniffend.

'Dat weet ik. En jij was blij. Het kwam je goed uit. Volgens mij voelde je je er beter door.'

'Niet waar!'

'Lieg niet, Charlotte.'

'Maar je huilde niet. Je huilde helemaal niet toen ze werd begraven.'

'Tja,' zei Clark, en hij haalde zijn schouders op. 'Je hart breekt toch wel. Hoe had ik er met jou over kunnen praten? Je had zo weinig begrip voor me. Ik weet ook wel dat ze gek was, maar het was mijn moeder!'

Er kwam een snik in Clarks keel omhoog, maar hij deinsde ervoor terug en hoestte in zijn vuist. Hij stond in de deuropening met zijn ogen te knipperen.

'En nu wil je míjn hart breken?' vroeg Charlotte.

'Dat kan ik niet,' zei hij. 'Ik vrees dat dat waar is. Dat is wat ik bedoelde.'

'O, je kunt het heel goed. Doe nou niet zo.' Ze strekte haar armen naar hem uit. 'Kom alsjeblieft terug in bed.'

'Ik ben teruggekomen omdat ik mijn boek vergeten was,' zei hij, en hij griste een pocket van het nachtkastje en verdween weer.

Het volgende ogenblik zag ze zijn schaduw naderen op de gang. Hij kwam de slaapkamer binnen. Ze strekte opnieuw haar armen uit.

'Kom terug in bed, schatje,' snikte ze. 'Vergeef me!'

Clark griste zijn kussen van de matras.

'Ik was mijn kussen vergeten,' zei hij.

'Clark!' huilde Charlotte tegen zijn verdwijnende gestalte. De voorkant van haar nachtpon was vochtig van de tranen. 'Laat me hier alsjeblieft niet alleen!'

# Deel 3

# Een glimp van jou

Charlotte ging rechtop in bed zitten en wist zeker dat haar slaap een belangrijke discussie had verstoord. Ze knipperde met haar ogen en rolde haar nek los. Haar lijf deed pijn. Ze legde haar hand op haar voorhoofd. Buiten was het licht diepblauw.

'Clark?' zei ze. 'Volgens mij heb ik iets onder de leden.'

De badkamerdeur stond op een kiertje. Een streep licht lag op de vloer. Ze zette haar voeten op de grond en tuurde naar beneden. De vloer was koud, maar haar voeten waren gloeiend heet. Ze verwachtte dat de vloer onder haar voetzolen zou sissen.

'Clark?' zei ze nogmaals. 'Wat ben je daar aan het doen?' Ze wreef over haar schouders. 'Rekoefeningen? Ik weet dat je die soms doet. Ik heb het door het sleutelgat gezien. Clark?'

Ze reikte naar de badkamerdeur en trok hem open. In gedachten stond hij al zo gedetailleerd op haar netvlies dat ze hem twee tellen lang echt zag, zijn rode wangen, zijn harige benen, rekkend voor de spiegel in zijn favoriete T-shirt waarop de naam van zijn jeugdhonkbalteam begon te vervagen. Hij keek naar haar en loste in het niets op. Het licht van de badkamer deed pijn aan haar ogen. Ja, ze had beslist iets onder de leden.

Ze nam zich voor onmiddellijk naar beneden te gaan, haar werk te bellen en zich ziek te melden. Ze stond op en als een echte zieke maakte ze voorzichtig en bedaagd haar bed op. Ze stond stil en keek naar de gordijnen, waar een vaag blauw licht doorheen scheen. Hoe laat was het eigenlijk? Het moest wel ochtend zijn. Boven het huis klonk herhaaldelijk een hoge, nerveuze roep van een vogel. Daarna hoorde ze een pollepel op een pan slaan, het signaal waarmee de Ribbendrops 's avonds hun kind naar binnen riepen. Charlotte legde haar hand op haar keel. Had ze de hele dag geslapen?

'Clark?' herhaalde ze. Ze liep naar de gang en keek naar links en naar rechts. Aarzelend bleef ze staan, omdat ze de slaapkamer niet wilde verlaten. 'Clark, heb jij mijn horloge gezien?' Ze draaide zich om en liet haar blik over de nachtkastjes en de ladekasten dwalen. Daarna liep ze naar het raam, en toen ze de gordijnen opzijschoof, ontdekte ze dat de wereld volledig begraven was onder de sneeuw.

Ze legde beide handen op de ijskoude ruit, alsof ze wilde voorkomen dat het afschuwelijke beeld kon binnendringen. De bomen waren witbeladen alsof ze ten onder gingen aan bloesems die levenloos aan de takken hingen. De naburige huizen waren donker en de luiken waren gesloten. De straat was niet schoongeveegd, maar onder het raam bevond zich een grote, donkere plek in de sneeuw. De auto was weg. Ze bloosde en vond het dwaas dat ze door het huis had geschreeuwd. Ze herinnerde zich dat ze het altijd heel vervelend vond als Clark dat deed. Ze liet de gordijnen weer voor haar neus dichtvallen. Iemand had iets over de sneeuw gezegd. Was het gisteren? *We zullen niet onder de sneeuw begraven worden, hoor.*

Ze huiverde. Opeens werd ze zo misselijk dat ze naar de wc rende.

Het gat van de wc-pot staarde naar haar terug. Haar geheugen tolde, kokhalsde en trok als een wrede goocheltruc de vreselijke ruzie van de vorige avond tevoorschijn. Ze herinnerde zich haar eigen smekende stem. De manier waarop hij zonder liefde of mededogen naar haar had gestaard. *Laat me hier alsjeblieft niet alleen!* Ze herinnerde zich dat zijn uitgerekte schaduw door de gang was weggelopen en dat ze in bed klaarwakker en gebroken naar zijn gesnurk in de logeerkamer had geluisterd tot ze een paar van zijn slaappillen had genomen, waardoor ze compleet van de wereld was geraakt. Nu besefte ze dat ze een prijs moest betalen voor de slaap, voor het niets meer voelen: in de tussentijd was er een vreemd, bizar gevoel ontstaan dat haar schokte door zijn puurheid. Ze klemde haar armen om haar buik en kokhalsde. Maar de emotie wilde niet naar buiten komen.

In paniek zocht ze naar een handdoek. Ze drenkte hem in koud water en begroef haar gezicht erin. Toen ze naar haar opgeblazen spiegelbeeld keek, probeerde ze te glimlachen. Ze kon niet op haar waarnemingen vertrouwen. Per slot van rekening begon ze ziek te worden.

Enigszins opgemonterd kwam ze uit de badkamer. Het maakte haar niet meer uit hoe laat het was en ze kleedde zich aan. Ze voelde zich te beroerd om naar haar werk te gaan, en je kon trouwens ook niet verwachten dat mensen met dit weer op pad gingen. Ze had nog nooit zoiets gezien. Bij de huizen in de straat reikte de sneeuw tot aan de onderste ramen. Toen ze langzaam de trap af liep, viel het haar op dat het niet lichter was geworden sinds ze wakker was. Het blauwe licht werd juist donkerder van kleur, als in de avondschemering. Haar brein had moeite om al die observaties meteen te verwerken. Ze liep om de balustrade van de trap heen en was al halverwege de koude, schemerige kamer voordat ze abrupt stilstond.

Ze legde haar vinger tegen haar lip. Wat was er veranderd? De kamer leek opeens opvallend kaal. Ze streek met haar hand over het bijzettafeltje. Waar was het zilveren theestel? En het koperen kompas van papa Gagliardo? En de snuisterijtjes en de dingen die ze hadden geërfd? Aan de kale muur ontbrak zelfs de ingelijste foto waarop Clark en Charlotte elkaar op het strand kusten. Ze draaide rond en stak haar handen uit om dingen aan te raken die er niet waren. Ze legde haar hand op de plaats waar de foto had gehangen. Ongelovig draaide ze rond, en toen nog eens. Daarna plofte ze duizelig op een stoel.

En toen dacht ze aan haar eigen beeltenis, die op de schoot van een klein kind meereisde door – waar wilden ze ook weer met hun vader naartoe? Californië? Ze wist niet waar Clark was, maar ze keek uit naar zijn terugkeer, zodat ze het hem kon inwrijven. Ze zou zeggen: *Ik zei het toch? Vind je die kinderen nog steeds zo snoezig? Denk je nog steeds dat de kinderjaren één groot feest zijn? Een periode vol gulle gaven?* Maar ongewild voelde ze niet de triomf dat ze gelijk had maar een steek van jaloezie. Californië. Diefstal. In haar eigen mislukte jeugd zou ze er niet eens op zijn gekomen. In haar verweesde hoofdje zou zo'n plan tot zelfbehoud nooit zijn ontstaan. En op een bepaalde manier was het wel lief dat ze de moeite hadden genomen de foto te stelen. Nu ze erover nadacht, zou ze het zilveren theestel, het kompas, de snuisterijtjes en alle spullen die als een touw met blikken achter hun leven aan hadden gesleept niet missen. Ze hoorde een krakend geluid en stond op in de verwachting dat Clark met zijn sneeuwlaarzen aan door de voordeur zou komen. Maar de deur bleef dicht en ze moest steun zoeken bij een muur omdat ze opeens weer misselijk werd.

Tecumseh kwam zachtjes jankend uit de keuken. Zijn nagels tikten op de vloer en hij wreef langs haar benen. Ze was in elk geval niet helemaal alleen. Alleen zijn was het ergste wat ze kon bedenken.

De hond liep buiten met voorzichtige passen door de sneeuw en deed een grote plas. Charlotte zag boven het huis een grote vogel cirkelen, die een gespannen, ijl gekrijs liet horen. Zijn witte borst lichtte in het schemerdonker op. Ze zag de vogel twee keer precies over hun huis vliegen.

Met haar hoofd in haar handen liep ze naar binnen, naar de keuken, waar zelfs de wandklok was weggehaald. Het aanrecht glansde haar groot en leeg tegemoet. Buiten scheerde de schaduw van de vogel over de harder wordende sneeuw. Op de keukentafel ontdekte ze een briefje, geschreven met zwarte stift. De stift was ernaast gelegd, alsof ze daarmee haar nutteloze reactie kon schrijven. Ze hield het papier vlak voor haar ogen en las:

*Lieve Charlotte,*

*Ik weet niet waar ik naartoe ga. Het spijt me, maar ik neem de auto mee. Maak je maar geen zorgen om mij. Ik weet niet wat ik moet schrijven. Het is de eerste keer dat ik zoiets doe.*

*Ik heb gezien wat de kinderen hebben gedaan. Pff, ze hebben inderdaad een heleboel gepikt. Dus ja, je had gelijk. Jammer van het kompas. De rest kan me eigenlijk niet schelen.*

*Toen ik klein was, dacht ik dat ik altijd zou weten wat de juiste keuze was. Ik weet het niet. Er is nergens een geheime schatkamer waar de enige echte waarheid wordt bewaard, of anders weet ik in elk geval niet waar. Jij wel?*

*Ik hou van je, maar je zult nu wel denken: nou en?*

*Charlotte, misschien heeft de liefde helemaal geen reden nodig om als een klok te blijven beieren. Misschien moet je gewoon gek zijn.*

*Je man,*
*Clark*

Charlotte legde het briefje neer. Plotseling had ze weer het gevoel dat ze moest overgeven, en ze stond op en wankelde door het huis. In elke hoek, in elke kamer, in elke deuropening dacht ze hem werkelijk even te zien – een glimp van zijn ogen of zijn mooie witte tanden, zijn warrige krullen, zijn lijf dat dubbelsloeg van het lachen –, want zo krachtig was zijn persoonlijkheid geweest toen hij bij haar was. Hij was haar man en soms was zijn aanwezigheid verwarrend, maar nu was het alsof een afschuwelijke wens van haar was vervuld: ze zat opgescheept met zijn afwezigheid, die ondubbelzinnig was.

Een poosje later was ze weer buiten in de verfrissende lucht en stond ze op haar sloffen en in haar nachtpon op de ingesneeuwde veranda te snikken. De wind blies met een holle klank door de straat. Aan de hemel trok de duisternis de wolken uit elkaar om ze te vervangen door sterren. De grote vogel zweefde weer door haar gezichtsveld, wat lager deze keer.

'Ga weg!' schreeuwde ze, en ze zwaaide met haar armen terwijl de vogel in grote, afgemeten cirkels rondvloog. 'Laat me met rust!'

# Koorts

Er verstreken verscheidene schimmige dagen en haar koorts steeg. Aanvankelijk bracht ze de tijd voor de tv in de logeer-kamer door. Ze hield van de luide, eindeloos doorflemende stemmen die de doffe klappen overstemden die misschien afkomstig waren van smeltende klonten sneeuw die van het dak vielen, maar die feitelijk dichterbij leken te komen, voetstappen leken te zijn, en ook nog eens binnenshuis. Onder haar deken klampte ze zich aan zichzelf vast. Ze was opgehouden met huilen. De telefoon ging niet. Ze at niet. Ze sleepte Tecumseh gehaast mee de kou in en ging zo snel mogelijk op een holletje terug naar de krijsende tv. De ziekte zat in haar gewrichten en haar maag, maar begon ook haar geest te verduisteren.

Vervolgens werd ze op een onbestemd moment te ziek om tv te kijken, te ziek om bang te zijn, en ze liep eindelijk de gang in. De kalme eenzaamheid in. Terwijl ze daar stond, voelde ze hoe verzwakt ze was. Haar botten leken weg te rot-ten en ze kon er nauwelijks nog van op aan dat ze haar overeind hielden. Haar huid was rauw, grieperig en abnormaal gevoelig, zo dun als het velletje dat zich op warme melk vormt. Ze slofte door de gang naar de kamer waar ze het bangst voor was. Vanuit de deuropening keek ze naar hun lege bed. Verkreukelde lakens, scheve kussens – het lege toneel van een huwelijk. Ze ging erop liggen. En daar werd ze dan eindelijk door de koorts overmand. Ze vroeg zich af of de hitte van haar lichaam de lakens zou doen ont-vlammen. Ze staarde naar het steeds waziger uitzicht uit het slaapkamerraam.

De koorts was niet alleen een bron van onversneden fy-siek lijden, maar begon ook verwarrende gedachten op te wekken – lichtflitsen zo fel als daglicht, maar zonder con-text. Ze woelde in bed, probeerde een houding te vinden waarin ze zouden ophouden. Maar in het steeds hetere slijmspoor van de koorts verschenen de beelden almaar sneller, het een na het ander, ze flitsten voorbij en lieten kleurige, flakkerende sporen na. Niets – irrelevante en on-verklaarde zaken: een hoed op een bed, een vinger in ver-band die omhoog werd gestoken voor onderzoek, een stuk vliegertouw. De beelden leken afkomstig uit haar eigen geest, maar toch, die hoed, die vinger: die waren niet van haar. En daarna, als in een deel van een symfonie, het zachte aanzwellen van de vele geïsoleerde noten van de menselijke dag: een gestameld woord, onwelluidend geneurie, ramen die met een piepend geluid werden gewassen. Verzwakt en overstemd bezweek ze onder al die dingen. Ze smachtte niet langer naar Clark, wiens voortdurende afwezigheid in die hitte op een verschrikkelijke manier gepast was, en als ze in bed op haar andere zij rolde en het laken zich als een huid van haar afpelde, was ze bijna blij dat hij er niet was om ruimte in te pikken op de matras. Als ze op het randje van de slaap pianomuziek uit de andere kamer hoorde komen, meende ze eindelijk te begrijpen waar ze was. Ze was in een tijdmuseum. Ze zwierf rond in het museum van afgedankte momenten – verdwaalde, losse, achtergelaten herinneringen, zo kortstondig als zuchten. Een wolk bakmeel die opbolde in de lucht. Gemorste melk die van een aanrecht drupte. Narcissen. Opgewonden voetstappen. Het tikken van een schuifpasser of breinaalden. De bittere geur van sinaasappelschillen. Een ruzie over Canada. Een papieren vliegtuigje. Een man die heel zachtjes *Ma-a-arion, Ma-a-arion* riep, alsof hij iemand probeerde te wekken. Charlotte voelde dat ze werd overspoeld door een grote vertedering. Op dat moment kon het haar niet schelen waar de momenten vandaan kwamen. Ze waren prachtig; de lucht was ervan verzadigd. Ze strekte haar hand uit om de mobile van een kind aan te raken die boven haar ronddraaide. Net toen ze de aangename rondheid van de spiegelende schijfjes voelde, galmde het dronken gelach door de gang. Er brak glas. Charlotte wendde verbitterd haar hoofd af.

'Laat me toch met rust,' mompelde ze, en ze draaide zich om op de matras. 'Ga weg.'

Maar door de vezels van het kussen waarmee ze haar oren tevergeefs had bedekt, hoorde ze nog steeds dingen:

een verliefde zucht, een rinkelende sleutelbos, iemand die zich inspande om iets zwaars op te tillen. En langzamerhand ook heel duidelijk afgeronde zinnen: *Geweldig, Evelyn. Je gooit me mijn eigen schoen naar m'n hoofd en ik kan 'm zelf weer oprapen.* En elders: *Laat je wat warm water voor mij over, Manny?* Een kraai kraste voor het raam. Een pogostick tikte hardnekkig op straat. *Hou je altijd van me? Ja,* klonk het zachte antwoord. *Altijd.* Een dirigentenstokje sloeg de maat tegen de rand van een piano. Charlotte, nu buiten adem, kwam boven en zag de secondewijzer van de klok rond de wijzerplaat kruipen. Daarachter, op het nachtkastje, het potje aspirine. In een helder moment zocht ze het potje met haar hand. Trillend probeerde ze er een paar tabletjes uit te schudden. Er kwam er geen een. Ze keek in het potje en gooide het leeg op de grond.

'Clark,' gromde ze. 'Ga medicijnen voor me halen. Ik heb iets nodig tegen de griep.'

'Tegen griep bestaat geen medicijn,' zei Clark terwijl hij zijn hoofd om de hoek van de badkamerdeur stak. 'Dat weet je toch wel. Je moet gewoon uitzieken.'

'O ja?' zei ze. 'Nou, dan zal ik jou ook ziek maken.'

'Dat geloof ik graag.'

'Waarschijnlijk heb ik het van jou gekregen, hufter.'

Clarks hoofd verdween weer achter de deur.

'O ja?' zei hij vanuit de badkamer. 'Waarom ben ik dan niet ziek?'

'Dat weet ik niet,' zei Charlotte. 'Dat is jouw duivelse geheim.'

Ze rolde haar hoofd opzij op het kussen en lachte tegen de badkamerdeur.

'Zelfs lachen doet pijn,' zei ze. 'Clarkie?'

Ze hoorde het tikken van zijn scheermes tegen de wasbak.

'Kom eens hier en leg me in de watten. Alsjeblieft? Heel even maar? Ik voel me altijd beter als jij me in de watten legt. Clark?'

'Nou ja,' zuchtte de vrouw, 'we kunnen hem altijd overschilderen.'

Charlotte draaide zich snel om. Naast haar op het bed lag een vrouw van ongeveer haar leeftijd, aangekleed en met haar armen boven haar hoofd. Haar goudblonde haar was kortgeknipt en ze speelde peinzend met haar pony.

'Wat zei je?' vroeg Charlotte aan de vrouw.

De vrouw pakte een brok van iets harsachtigs uit haar rok en bevoelde het zonder te reageren. Er kwam een lange man met een coltrui en een breed hoofd binnen. Hij aarzelde even in de deuropening en keek naar de jonge vrouw. 'Ja, dat kan,' zei hij vriendelijk. 'We kunnen er het beste van maken.'

De vrouw zei niets en staarde naar haar brok hars.

'Waarvan?' vroeg Charlotte.

'Lieveling,' vervolgde de man, en hij leunde tegen de deurpost. 'Waarom altijd die droevige gedachten, dag en nacht in je eentje? Vind je dit geen mooi huis?'

'Het is raar,' zei de vrouw, 'maar ik heb nooit het gevoel dat ik alleen ben. Het is een heel raar gevoel.' Charlotte voelde haar naast zich rillen. 'Het is een droevig huis, Bobby,' mompelde ze. 'Er zit te veel in gevangen.'

'Het is iets voor starters,' zei de man, en hij forceerde een glimlach. 'Een opstapje naar iets anders.'

Toen de vrouw niet lachte, kwam de man de kamer in.

'Het spijt me, Marion,' zei hij met een vaag zangerig accent. 'Het spijt me dat ik je niet alles kan geven wat je wilt. Maar ik hou van je. Als je van elkaar houdt, kun je samen heel veel aan, en wij beginnen pas net. We staan nog maar aan het begin. Is dat niet spannend?'

De vrouw wendde haar hoofd af. Zij en Charlotte keken elkaar een ogenblik aan.

'Nee,' zei ze. 'Ik voel er niks bij.'

De man draaide om zijn as en stompte met zijn vuist tegen de muur van de slaapkamer. Hij trok zich terug van het gat in de pleisterkalk en masseerde zijn hand.

'Jezus, Marion,' schreeuwde hij terwijl de tranen over zijn wangen rolden. 'Hou eens op altijd anderen de schuld te geven. Snap je het dan niet? We moeten onszélf gelukkig maken. Wij zijn de goden van ons eigen leven! We zouden alles kunnen doen wat we willen.' Hij keek naar zijn gewonde hand en daarna weer naar de vrouw op het bed. Charlotte was overeind gekomen en stak haar hand uit. 'De vraag is,' zei de man, 'ben jij daar dapper genoeg voor?'

'Ja!' riep Charlotte. 'Dat is ze. Jullie zijn toch...'

Ze keek opzij, maar de vrouw lag er niet meer. Nu schrok ze op van gebonk op de voordeur, en een vrouw krijste voor het huis: *Jason, godverdomme, laat me binnen. Ik blijf hier staan schreeuwen tot je me binnenlaat! Laat deze hele rotbuurt me maar weer horen!* Charlotte stond op en holde naar de deur van de slaapkamer. Toen hoorde ze de stem van de vrouw weer, maar nu vertrouwelijker: *Jason, alsjeblieft. Ik hou van je. Doe de deur open.*

Charlotte holde door de gang, maar die was eindeloos lang, met tientallen kamers waar mensen overlegden, ruziemaakten of zwijgend bij elkaar zaten. Achter een van de openstaande deuren zat een pubermeisje aan een bureau, naast een prullenmand vol verkreukeld roze briefpapier. In een hoek rammelde een roodharige peuter woedend aan de spijlen van zijn bedje. Er liep een jonge vrouw met een jurk in haar hand door de kamer, die zei: 'Ik verheug me nu al op hun gezichten als we het ze vertellen. Laat je wat warm water voor mij over, Manny?' Op dat moment vloog er een schoen over Charlottes hoofd die met een klap tegen de muur van het trappenhuis sloeg. Ze draaide zich snel om en zag een man van middelbare leeftijd in een nette broek met een vouw en een hemd uit de slaapkamer komen en naar de schoen staren. 'Geweldig, Evelyn,' mompelde hij. 'Je gooit me mijn eigen schoen naar m'n hoofd en ik kan 'm zelf weer oprapen.' Hij draaide zich om en keek naar Charlotte. 'Wil je misschien nog iets anders naar mijn hoofd gooien, nu ik hier toch sta?'

Charlotte zocht steun bij de trapleuning. Verderop in de gang hoorde ze een stem die een gedempt gesprek voerde: 'En nu wil je míjn hart breken?'

'Dat kan ik niet. Dat is wat ik bedoelde.'

'O, je kunt het heel goed. Doe nou niet zo. Kom alsjeblieft terug in bed.'

Heel behoedzaam schuifelde Charlotte terug door de gang; ze wierp een blik in alle kamers. Kon ze het aan zichzelf als momentopname te zien – in de steek gelaten, een hoopje ellende op het bed? Ze rondde de hoek van de betreffende kamer. Maar daar zat een meisje van een jaar of acht, negen met een handspiegel; ze maakte nauwelijks een afdruk in het beddegoed. Met haar vrije hand borstelde ze haar lange blonde haar. Het had de kleur van suikermais. De borstel maakte zachte zoevende geluiden terwijl ze hem door haar haar trok. Het meisje bekeek zichzelf in de spiegel. Ze lachte haar scheve hoektanden bloot. Buiten regende het. De zilverkleurige regen vulde het hele raam. Charlotte kwam dichterbij om te horen wat het meisje zong. *O, wat een geluk een eendje te zijn, al in de regen, o zo fijn, met gele sokjes en gele schoentjes, door alle plassen, voor de gein.* Op dat moment begon de telefoon beneden te rinkelen. Charlotte draaide zich abrupt om, alsof ze helemaal niet ziek was, en holde de trap af om op te nemen.

'Ik kom eraan!' riep ze. 'Wacht! Wacht!'

Ze stormde de keuken in en pakte de hoorn op.

'Clark!' riep ze. 'Ben jij daar?'

'Is wíé daar?' vroeg een weifelende stem.

'Hebt u Clark gevonden?' Ze lachte stralend. Ze keek naar het aanrechtblad en haar haar hing in natte, bezwete spiralen rond haar gezicht. Dat was goed, wist ze. Ze zweette de koorts eruit. 'Ik moet... dringend... met hem praten.'

'Nee, gekkie,' zei de stem. 'Ik ben het.'

Charlotte slikte, hijgde. Ze wreef met haar handpalm in haar ogen. Boven het geluid van haar ademhaling uit weergalmde het ritmische gezoem van machines in een lange gang.

'Máma,' zei de vrouw. 'Je spreekt met mama. Ze hebben mama toestemming gegeven om je te bellen. Omdat je ziek bent. Zorgt oma goed voor je?'

Als op commando begon Charlotte te huilen.

'O, liefje,' zei de vrouw. 'Niet huilen. Wat is er?'

Charlotte snikte nu luid. Er vielen tranen op het aanrecht en ze beefde van de inspanning. Ze moest bijna lachen. Ze kon zich nu letterlijk niet meer inhouden.

'Het is goed, kindje. Het komt allemaal goed,' troostte de stem door de telefoon. 'Pak maar een waslapje en houd dat onder de koude kraan. Kun je erbij? Ja? Houd dat tegen je gezicht.'

Charlotte gehoorzaamde trillend. Ze maakte een vaatdoekje nat onder de kraan en drukte het tegen haar voorhoofd.

'En vraag oma zo meteen maar of ze warme melk voor je maakt,' zei de vrouw. 'Klinkt dat niet lekker, liefje? Kun je "melk" zeggen tegen oma?'

Charlotte veegde haar ogen met de rug van haar hand af en knikte. Ze stond naar de stem te luisteren en deed haar ogen dicht. Ze haalde diep adem.

'Melk,' zei ze.

De vrouw zuchtte. 'Ik kom gauw thuis. Héél gauw.'

'Ik mis je,' zuchtte Charlotte.

'Ik jou ook, lieverd.'

'Ik dacht vroeger de hele dag aan je,' zei Charlotte. Er knetterde iets in de telefoonlijn. 'Maar nu niet meer. Ik heb in geen jaren meer aan die hele toestand gedacht.'

Plotseling klonk boven het gezoem van de machines uit een langdurig getoeter.

'Mama moet nu ophangen, liefje.'

'Nee, wacht,' zei Charlotte, en ze balde haar vuisten. 'Blijf nog even aan de lijn. Nu ik je toch spreek, wil ik je een paar dingen vragen. Daar heb ik wel recht op!'

'Maak mama nou niet verdrietig,' zei de vrouwenstem bestraffend. 'Mama kan er niets aan doen.'

'Wacht!' riep Charlotte. 'Niet ophangen!'

'Mama houdt ook van jou. Kusjes.'

Op dat moment glipte de telefoon uit Charlottes natte vuist. Ze bukte zich ademloos en drukte hem weer tegen haar oor. Aan de andere kant van de lijn was niets te horen.

'Mama?' zei ze in de stilte.

Toen ze ditmaal haar ogen opendeed, was er alleen een landschap van wit textiel – het kussen, dat in haar ogen kolossaal was. Ze tilde haar hoofd op. Tecumseh likte gedienstig haar vingers. Zo-even had ze zich de trap op gesleept – toch? – tussen vreemden, gezichten en zelfs een dronken vrouw in een clownspak door, waardoor ze er nauwelijks langs kon. Nu staarde ze naar de lege kamer, de lege deuropening, en luisterde. Afgezien van het getik van de weglopende hondenpoten was het stil in huis. Daar lag ze, haar hart bonsde en de maan hing voor het raam. Er verstreek een uur voordat haar hart tot rust kwam.

Na een hele poos kwam ze uit bed, liep de gang door en keek in de andere kamers. Lege stoelen, roerloze gordijnen. Er was niemand. Vreemd genoeg voelde ze een hevige teleurstelling. In de doodse stilte van het huis kreunden de vloerplanken onder haar gewicht. De natte nachtpon kleefde aan haar benen. De koorts was uit haar lijf weggelekt. Waren ze nu allemaal verdwenen? In de keuken pakte ze voor de zekerheid de telefoon op.

'Hallo?' zei ze.

Ze legde de hoorn weer op de haak.

Boven deed ze alle lampen aan. De lucht buiten was pik-zwart en er blies een soort spookstadwind door de stille buurt. Het licht uit de badkamer viel achterwaarts over het vochtige, omgewoelde bed. Ze bleef voor het openstaande medicijnkastje staan, pakte het potje slaappillen en wipte het dekseltje eraf. Haar handpalm was nat en de capsule kleefde eraan vast toen ze hem in haar mond probeerde te stoppen. Ze slikte, deed het kastje dicht en keek naar haar gezicht in de driedelige spiegel. Achter haar spiegelbeeld verscheen een oneindige rij Charlottes. Was de laatste Charlotte, degene die te ver weg was om te zien, het meisje dat op het bed had gezeten? Ze trok haar doorweekte nacht-pon uit en stond geel, blauw en menselijk oog in oog met haar magische spiegelbeelden. Toen kroop ze weer in bed en staarde naar de maan.

Het was droevig, dacht ze, al die verloren momenten. Er worden voortdurend momenten vergeten en het leven is een lapwerk van gaten. En liefde, de beste gissing. Maar misschien herinneren je verloren momenten zich jou wel. Misschien zitten ze gevangen in de dakranden, hoeken en goten van verloren huizen. Er rolde een traan over Charlottes wang. *Melk*, fluisterde ze. Ze keek naar het potje pillen dat ze mee naar bed had genomen. Het lichtte oranje op op het nachtkastje.

Dit was een moment dat ze niet was vergeten: de eerste keer dat ze door een telescoop keek. Toen ze in dat ronde oog naar de planeten keek als van de bodem van een put, was het eerste wat ze dacht: die arme, eenzame God. Ze herinnerde zich dat papa Gagliardo naast haar stond en, lief en opgewekt als altijd, had geprobeerd haar uit te leggen dat de explosie waarbij het heelal was ontstaan nog steeds doorging, dat de ruimte steeds verder uitdijde. Zelfs als kind begreep ze al wat dat betekende: dat het steeds moeilijker werd om terug te vinden wat je was kwijtgeraakt, want het melkwegstelsel versplinterde steeds verder en de sterren brandden met al hun felheid en onafhankelijkheid voor niemand.

Charlotte tastte naar het potje pillen, waarvan ze zich inbeeldde dat het in die paar minuten dat ze had liggen nadenken een centimeter bij haar vandaan was geschoven. Ze dacht aan Clark, die met uitgestrekte armen achterwaarts zweefde, een tuin van sterren tegen het inktzwarte niets achter hem. Ze dacht aan haar moeder, die met uitgestrekte

armen achterwaarts zweefde. Je moest je heel stevig vasthouden. Anders verslapte je greep. Die arme God, die nooit
iemand had gehad. Of had hij de meeste mazzel van iedereen? God zweefde ook achterwaarts. In de stilte probeerde
Charlotte voor zichzelf te zingen. Maar haar stem, bevend
en onzuiver, was een schrale troost. Ze hield het pillenpotje
tegen het licht. Wat was de nacht stil. Het was makkelijk om
te vragen waarom, maar 'waarom niet' was misschien een
betere vraag.

Ja, dacht ze, trillend, naakt en koud, waarom niet?

# Open zee

Clark zat naar het lege filmdoek te staren. Alle bezoekers waren weggegaan en de jongen met het stofblik veegde in de stilte om hem heen. Clark had de film inmiddels drie keer achter elkaar gezien en de plot was vertrouwd geworden: een jonge priester wordt verliefd op een meisje en in zijn domme onbaatzuchtigheid koppelt hij haar aan zijn broer, die af en toe in woede ontsteekt en haar dan klappen geeft met zijn schoen. De priester wordt uiteindelijk gek van schuldgevoel en verlangen en haalt het meisje weg bij zijn broer. Ze verschuilen zich in een grot, waar zij de hongerdood sterft, en de priester moet de rest van zijn levensdagen in ballingschap slijten en wordt gedwongen zijn verhaal keer op keer aan een bioscoopzaal vol vreemden in Clementine te vertellen.

Hij keek om zich heen. Het was donker in de bioscoop en het stonk er behoorlijk: opgewarmde, bloemige geurtjes, een mengeling van gardenia en cederhout en methanol, winderigheid, nepboter, uitgeademde lucht, een achtergebleven zweem van opgewonden mensen en, aan zijn eigen vingers, de geur van chocola. Clark beet de restjes witte chocola van zijn nagels. Toen hij blindelings zijn hand uitstak naar zijn beker frisdrank stootte hij die om. De ijsklontjes schoten onder een stoel. Hij keek om zich heen of hij de jongen met de bezem en het stofblik zag, maar afgezien van het gebiedende oog van de projector achter hem was hij alleen.

'Hé,' zei hij, zwaaiend naar het oog. 'Is daar iemand?'

Hij meende in het projectiekamertje een steelse schaduw te zien.

'Hallo daar,' riep hij met een glimlach. 'Kan ik wat hulp krijgen? Ik heb net mijn frisdrank omgegooid.'

Er kwam geen reactie, maar hij had het gevoel dat er naar hem werd geluisterd. Hij zwaaide. Het oog knipperde, leek te vertroebelen en toen verscheen er een helder licht – een mechanisch bewustzijn – in de iris.

'Hallo daarboven!' riep Clark.

Hij stond op en zwaaide tot hij twee mensen in het gangpad zag, die allebei aarzelend bleven staan. Ze waren klein van stuk, hadden smeltende sneeuw in hun haar en hielden allebei een grote bak popcorn vast. Clark verstijfde. De hele dag had hij hooguit een of twee achterblijvers in de bioscoop gezien. De man bleef naar Clark kijken, maar haalde een stukje popcorn uit zijn bak en at het op.

Clark stopte zijn handen in zijn zakken. 'Hallo,' zei hij.

Het stel zei niets terug.

'Ga lekker zitten,' zei Clark. 'We hebben de hele zaal voor ons alleen.'

'Jij hebt de film daarnet al gezien, hè?' vroeg de vrouw.

Clark ging zitten en zei zachtjes: 'Je mag de film zo vaak bekijken als je wilt.'

Het stel ging ergens in het midden zitten, een stuk of vijf rijen achter hem.

'Wat een vreselijk weer,' riep Clark over zijn schouder. 'Sneeuwt het buiten nog steeds?'

'Ja en nee,' antwoordde de man.

Na een poosje kon hij hen horen eten.

'Was-ie goed?' vroeg de man achter hem.

'Wat?'

'De film. Was-ie goed?'

Dankbaar draaide Clark zich om op zijn stoel. 'Het verhaal gaat over een priester die verliefd wordt op een meisje...'

'Oké,' zei de man vanuit de duisternis.

'... en hij mag natuurlijk geen werk van haar maken...'

'Nee.'

'... vanwege het celibaat. Dus hij koppelt het meisje aan zijn broer, die...' Hij maakte zijn zin niet af. Ze aten popcorn. Wilden ze werkelijk het hele verhaal horen? Hij kon hun ogen niet zien, want ze droegen allebei een bril die in het donker spiegelde. Hoog achter hen het oog van de camera, alert, goddelijk.

'Hoe dan ook, de broer is een rotzak die haar bij het minste of geringste afranselt met zijn schoen. Uiteindelijk wordt dat zo'n kwelling voor de priester, die nog steeds verliefd op haar is, dat hij...' Clark zweeg weer. Wat was het eigenlijk moeilijk om met onbekenden te praten! Dat had hij nooit geweten. Hij had het idee dat hij midden op zee, in een wereld die alleen maar uit water bestond, een ander schip trof en dat dit magere stel vanaf het dek aan hem vroeg: *Weet jij waar het land is gebleven?* Clark vroeg zich af wat hij met deze twee mensen gemeen had, afgezien van het feit dat ze tegelijkertijd leefden.

'Wat doet die priester?' vroeg de man.

Opeens wilde Clark de bioscoop uit. Alle harde woorden kwamen als een mokerslag terug. Wat had hij gedaan? Wat had hij in godsnaam gedaan? Hoe lang zat hij al in de bioscoop? Wat betekent een antwoord als 'ja en nee'? Daar, in het donker, eenzaam en aan niets of niemand gebonden, vroeg hij zich af of zijn onbetekenendheid hem zo licht zou maken dat hij van de aarde zou vallen. Het hart zonk hem in de schoenen, maar vlak voordat hij alle moed verloor, herpakte hij zich en besefte dat spijt eigenlijk een list was. Als hij werkelijk weg wilde gaan, moest hij zich vermannen. Hij zette haar bleke, betraande gezicht uit zijn hoofd.

'Hé, jij daar,' riep hij tegen de jongen met de bezem en het stofblik, die inmiddels achterin aan het vegen was. 'Zag je me daarboven?'

De jongen liep naar de laatste rij stoelen en hield zijn hand achter zijn oor. Zijn witte shirt gaf licht in de onaangename duisternis. 'Wat?'

'Ben jij de operateur?'

'Nee.'

'Kan ik hem misschien even spreken?'

'Wat? U wilt de operateur spreken?'

'Nou, ja,' bekende Clark. 'Ik vroeg me gewoon af of er daarboven iemand zat. Gewoon nieuwsgierigheid.'

'Wat doet dat ertoe? Als de film maar draait!' kraaide de vrouw.

'Ik bedoel,' vervolgde Clark, terwijl hij een blik op de vrouw wierp, 'moet die operateur naar een operateursschool? Zoals een kapper, of een kok?'

De jongen lachte.

'Wat is daar zo komisch aan?' vroeg Clark glimlachend.

De jongen lachte. Toen begon het stel ook te lachen. Ze lachten alsof hun kelen vol boter zaten. In het pluchen rijk van de bioscoop klonk het gelach tegelijkertijd heel hard en gedempt, als het krijgsgewoel van de oorlogsfilm die in de aangrenzende zaal was begonnen.

'De tijden zijn veranderd,' zei de jongen toen hij was uit-gelachen. 'Daarboven zit geen man meer die filmspoelen verwisselt. Iemand, soms zelfs de manager, zorgt in het begin dat alles scherp in beeld komt. Daarna drukt hij ge-woon een knop in.' De jongen leunde nu ontspannen op zijn bezem. 'Het is bijna allemaal geautomatiseerd, dus er hoeft boven niemand meer te zitten. Ik denk dat het over een jaartje allemaal digitaal is. Dan is er helemaal geen ruimte meer voor menselijke fouten. Dan programmeren we alle films en kunnen we de hele dag achteroverleunen en limonade drinken.'

Clark schopte tegen de ijsklontjes op de grond. Zijn li-chaam was nog steeds bezig een geluid te produceren dat op gelach leek toen het oog opeens tot uitbarsting kwam, alsof het hem wilde aanmoedigen, en een enorme kegel van licht uitzond, gevuld met allerlei manische gedaanten en vervormde flikkeringen met woorden en getallen, razendsnel, het krassende naald-op-vinylgeluid en het grimmige, stellige groen van het scherm. Later, toen het mooie, onbereikbare meisje met een bosje wilde bloemen uit de sacristie kwam en de priester haar voor het eerst zag, begon Clarks hart sneller te slaan, ook al had hij de film al drie keer gezien, want hij was ervan overtuigd dat er een operateur móést zijn, een schepper, een systeem, een opzichter, een lot, iemand die hier verantwoordelijk voor was en dit betreurde, die dit alles betreurde, deze tragedie, deze onverwachte complicatie, deze woorden die door een andere mond werden uitgesproken, de wreedheid van goede mensen – een persoon als Jezus, maar dan iemand anders, gevangen in zijn onsterfelijke omstandigheden, iemand die met langdurige droefenis over de wereld uitkijkt en terugverlangt naar de goede oude tijd toen mannen en vrouwen nog eenvoudig waren en hij nog gewoon een van hen was.

# Branden, maar zonder vlammen

De Clementine Motor Inn lag eenzaam tussen het winkelcentrum en de snelweg, badend in een zee van schijnwerperlicht. Clark, die tot zijn knieën in de stuifsneeuw stond, aarzelde even voor de glazen deuren. Een jonge vrouw in een goedkoop blauw pakje zat aan de receptie patience te spelen. Achter haar stond een conciërge op een stokdweil geleund naar buiten te staren.

Hij stapte terug in de nachtelijke schaduwen en vloekte op zichzelf. Hoe had alles zo verschrikkelijk mis kunnen gaan? Zijn auto zat vast in een greppel vlak bij de bioscoop. Hij had het zo koud dat hij geen gevoel meer in de bovenste helft van zijn hoofd had en hij was bang om met zijn hand over zijn haar te strijken voor het geval hij dan zijn hersenen zou voelen. Hij balde en opende zijn ijskoude handen en keek verwijtend achterom naar het flauw verlichte stadscentrum. Hij haatte deze plaats nu. Zodra het kon zou hij er voorgoed weggaan – alles achter zich laten, maar dit keer echt.

Maar toen hij van de bioscoop door de uitgestorven straten terugliep, had het stadje er in de sneeuw zo verdomd
mooi uitgezien. De verkeerslichten tikten zachtjes in de
nachtlucht. De felgele neonparaplu van de minisupermarkt
was net een warme aardse ster. Toen Clark het stille kruispunt overstak, gebaarde de kassier van de supermarkt dat
hij binnen moest komen, maar Clark weerstond hem, ook
al droeg hij geen muts of handschoenen; hij had alleen zijn
opgezette jaskraag en een bovenmaatse ribfluwelen broek
die doorweekt was van de sneeuw.

Juist op dat moment was er een meisje in een lichtblauwe
parka naar buiten gekomen met haar armen vol snoep. Clark
keek toe terwijl ze voorzichtig over het bevroren parkeerterrein voortstapte, totdat het tot hem doordrong wie ze was.

'Hé!' riep hij vanaf de straat.

Judy keek om. Er viel een reep op de grond. Ze begon met
grote stappen de andere kant op te lopen.

'Wacht,' zei Clark, en hij beende over het glibberige terrein achter haar aan. 'Ho even. Blijf nou staan. Ik ben niet
boos. Ik wil gewoon even met je praten...'

Maar Judy had inmiddels een sprint naar een aftandse
donkerblauwe personenwagen bij de benzinepomp inge-
zet, waarbij ze een gezicht trok als een turnster die een aan-
loop nam voor haar paardsprong. Ze rukte het portier aan
de bijrijderskant open, en op hetzelfde moment dook aan
de andere kant het hoofd van een man op.

Clark bleef staan. Sneeuw viel van de straatlantaarns en
kwam in zijn ogen. Hij veegde ze schoon. De man stond op,

legde zijn vuist op de motorkap van de auto en draaide zich
zonder iets te zeggen om. Zijn ogen waren twee schaduwen,
maar hij had zijn kleine, vooruitstekende mond in een uitdagende, volstrekt onbevreesde plooi getrokken. Clark herkende de gezichtsuitdrukking. Hij had hem ook bij James
en Judy gezien.

Meneer Nye liet zijn vuist van de motorkap glijden en
salueerde vaag in Clarks richting. Daarna keek hij haast
terloops naar de lucht. 'Weertje, hè,' zei hij. Waarna zijn
brede, gedrongen schouders weer in de auto verdwenen.

Clark had hen nagekeken terwijl de sneeuwvlokken zich
op zijn schouders ophoopten. De auto schoot naar voren en
verdween in de nacht, waarbij hij een fontein van sneeuw-
klonten deed opspuiten. Hij zag twee hoofden voorin en een
klein hoofd achterin, dat met dezelfde onbewogen maar be-
leefd-bezorgde blik naar hem omkeek; de auto verwijderde
zich, pulserend onder de straatlantaarns, in de richting van
de hoofdweg.

De receptioniste in het blauwe pakje deelde hem mee dat
hij extra zou moeten betalen: hij kreeg de laatste nog vrije
kamer in de stad. Iedereen was gestrand door de sneeuw.
Niemand kon Clementine meer in of uit. Zijn kamer scheen
op de een of andere manier bijzonder te zijn. Maar zodra
hij zich in de kamer had geïnstalleerd, die afgezien van een
hemelbed met futloze rode franje nogal kleurloos was, en
zich tot op zijn ondergoed had uitgekleed, deed hij een
onaangename ontdekking. Vanuit zijn raam kon hij Quail

Hollow Road zien. Daar had je ze, de lichtjes op de heuvel. Hij stelde zich voor dat ze lusteloos de vaat stond af te drogen bij het aanrecht, haar dunne blonde haar vochtig van de waterdamp, en bijna riep hij hardop haar naam. Maar op dat moment veranderde zijn focus en zag hij alleen nog zichzelf weerspiegeld in de ruit – zijn grote muil, zijn verdacht blauwe, dwaze ogen.

Voor zo'n groot iemand was hij behoorlijk snel aangeschoten. Hij dronk niet vaak en zelden iets anders dan een beetje cognac, en deze flesjes leken klein en verfijnd, als drankjes in een poppenhuis. Hij pakte ze een voor een uit het kastje en dronk ze leeg. Eerst een blauw flesje, toen een wit flesje en nog een wit flesje, en daarna een bruin en een groen flesje. Aanvankelijk proefde hij het verschil nog, maar al snel vervloeiden alle smaken tot één vettig goedje en zonk hij weg in een onbevooroordeelde beneveldheid. Hij keek naar zijn handen terwijl alles gevoelloos werd. Hout had geen herkenbaar gevoel meer, en haar evenmin.

Op een gegeven moment kreeg hij een geschilderde replica van een familiewapen aan de muur in het oog, en hij begon heel hard te lachen. Hij liep naar de deur, waarop een blikken plaatje hing met de woorden KONINKLIJKE SUITE. De koninklijke suite, dacht hij. Belachelijk! Er was niet bepaald veel koninklijks aan dit tweederangsgat. Geen koningen. Geen ridders. Geen jonkvrouwen. Hoewel het gerucht ging dat president Taft, die dikste aller presidenten, hier een keer was geweest toen hij op weg ergens anders naartoe verdwaald was. Dat beeld van een dikke, verdwaalde president vond Clark zo hilarisch dat hij na een tijdje een stem aan de andere kant van de muur hoorde brommen: *Oké, gast. Nou is het wel mooi geweest.*

'Goeie god!' zei Clark tegen de muur. 'Ik heb de koninklijke suite. Ha! Hoe heet jouw kamer?'

*Christene zielen,* zei de stem. *Hoor eens, de muren zijn hier flinterdun.*

Clark plofte zwaar op het bed neer. 'Maar het is allemaal zo ontzettend zielig! Hoe ben ik in dit zielige stadje en in dit stomme leven terechtgekomen? Ik had iets willen worden. Mijn moeder vond godverdomme dat ik de kroonprins was.'

De stem in de muur zei niets terug. Clark rommelde in de rieten mand die de hele tijd voor zijn ogen heen en weer zwaaide, maar daar zaten alleen maar papiertjes en lege flesjes in. Daardoor ontnuchterde hij een beetje.

'Ze is trouwens dood,' zei hij tegen de muur. Hij sloeg zijn handen voor zijn gezicht. 'Jezus christus!' Hij lachte, viel achterover op bed en dacht aan Charlottes koele, witte lichaam. 'De reden dat ze zo mager is,' zei hij, en hij hief een vinger op naar het plafond, 'is dat ze zo'n magere ziel heeft.' Maar toen zag hij voor zich hoe ze lachend de trap op en af was geheld als ze 'm was, en hij moest gaan staan en tegen de muur leunen om zich tegen dat lieve beeld te wapenen. Een ogenblik later kwam zijn woede weer opzetten. Hij genoot van de heftigheid ervan. 'Ze denkt dat ík een kind ben? En dat ík gek ben?'

*Wat maakt het uit?* zei de stem in de muur. *Misschien heeft ze wel gelijk.*

Clark wierp een dreigende blik op de muur. Na een poosje zakte hij op het bed neer.

'Ik probeer het tenminste,' zei hij. 'Ik probeer het, ik probeer het, ik probeer het.'

*Hoor eens. Mijn vriendin en ik proberen te slapen. Moet ik soms naar je toe komen om je verrot te slaan?*

'Hm,' zei Clark tegen de muur. 'Daar moet ik even over nadenken.'

Hij ging aan het spaanplaten tafeltje naast het bed zitten. Behalve het bed en dat tafeltje stond er ook nog een nepleren clubfauteuil in de kamer, die leek op de fauteuil die zijn vader vroeger in zijn werkkamer had. Clark gromde. Het laatste waar hij nu aan wilde denken was zijn vader, Wallace Adair. Wallace Adair had een lelijk roze vest, dat zijn maîtresse, Penny Flanigan, voor hem had gebreid. Hij droeg het altijd om iedereen te treiteren, zichzelf incluis, want het was zo verdomd lelijk. Met zijn een meter vijfennegentig was hij een opvallende verschijning in dat ding. Een lange vent met een hoekige kaaklijn en een roze vest. Maar Wallace Adair verontschuldigde zich nergens voor. Hij was een man die door het vuur rondbanjerde, die brandde, maar zonder vlammen. Hij had de onverstoorbaarheid en onopvallendheid van een beroepscrimineel. Zijn handen waren snel en als hij eenmaal iets beet had, kon je het hem niet meer ontfutselen. Het is moeilijk om geen bewondering te hebben voor gemene mensen. Ze zijn immers ontzagwekkend, en daar steek jij met al je littekens magertjes bij af.

Als tiener had Clark zijn vader en diens maîtresse een keer vanaf de straat bij een ijssalon zien zitten. Ze praatten niet en raakten elkaar niet aan, maar deelden een grote roze milkshake. Ze had een leuk wipneusje en een slanke taille. Ze droeg een roze jasje in exact dezelfde tint als de milkshake. Clark was niet hevig geschokt, maar merkte bij zichzelf een heel vreemde reactie. Hij vond ze pittoresk en had tegen een lantaarnpaal geleund staan kijken terwijl ze samen die milkshake opdronken. Hij glimlachte om die dwaze herinnering van lang geleden en toetste nu, bevangen door een geweldig enthousiasme, de cijfers in op de telefoon.

De telefoon ging aan de andere kant een heleboel keer over. Clark luisterde met open mond. Hij grinnikte. Hij zag bijna voor zich hoe die ouwe vloekend in het donker rondtastte.

'Hallo? Verdomme, wie...'

'Pa! Pa!' zei hij lachend. 'Ik ben het.'

Stilte. Na een poos: 'Wat is er in godsnaam?'

'Nou, ik bel niet in Gods naam, hoor. Het was niet mijn bedoeling je wakker te maken. Ik had niet op de tijd gelet.' Clark hikte. 'Oké, ik heb zelfs niet eens gekéken hoe laat het was, maar het zal wel laat zijn, want het is pikkedonker.'

'Clárk?'

Clark wond het telefoonsnoer om zijn vingers. 'Er zijn hier geen klokken. Maar echte koningen hebben waarschijnlijk ook geen klokken. Die hebben waarschijnlijk speciaal iemand in dienst die altijd met ze meegaat om te vertellen hoe laat het is.'

Er viel een korte stilte. 'O jezus. Nee. Niet jij ook nog.'

'Ik ook nog wat?'

'Bel je vanuit het gekkenhuis?'

'Nee. Néé...' Clark lachte en sloeg voor zich in de lucht alsof zijn vader daar zat. 'Ik bel je vanuit de koninklijke suite van de Clementine Motor Inn. Zeg, als je niet al te pissig op me bent, zou ik wel langs willen komen.'

Dat was nu net pas bij hem opgekomen. Natuurlijk! Waarom niet? Hij was nu vrij, het leven lag weer wijdopen, toch? Aan de andere kant van de lijn klonk gestommel. Een gedempt gesprek. Hoewel het huis van Penny Flanigan was, had Clark er op de een of andere manier niet op gerekend dat Penny Flanigan er ook daadwerkelijk zou zijn. Ze woonden nu samen aan zee. Zijn vader was na de dood van Clarks moeder bij haar ingetrokken, en nu leefden ze als een echtpaar samen. Feitelijk hadden ze er twintig jaar op gewacht om samen te kunnen zijn. Roze Penny met haar roze taille en haar roze haar die naakt in een milkshake zwom.

'O jee,' zei Clark. 'Het spijt me heel erg. Zeg tegen je... tegen mevrouw Flanigan dat het me heel erg spijt dat ik haar wakker heb gemaakt.'

'Man, lal niet zo,' snauwde Wallace plotseling weer vlakbij. 'Bel me morgenochtend maar. Dan praten we verder. Ik vertik het om om vier uur 's nachts met je te kletsen. Ik ben je eerste liefje niet.'

'Ho, ho,' zei Clark, en hij schoof in zijn stoel heen en weer totdat zijn achterste aangenaam heet was geworden. 'Ik moest gewoon aan je denken, meer niet.'

'Doe dat maar in je eigen tijd.'

'Moest aan je denken,' mompelde Clark, 'aan jou en mam.'

Clark genoot hiervan. Het was leuk om dronken te zijn en mensen te bellen. Het was leuk om op de vlucht te zijn. Niemands vriend te zijn. Hij grijnsde met een aandoenlijke arrogantie, want het duurde maar een ogenblik voordat hij zijn vaders stem weer hoorde – effen, laag en met die vreselijke eerlijkheid die hij gedurende al die jaren dat hij meende eraan te zijn ontsnapt was vergeten.

'Ik zeg dit maar één keer,' gromde Wallace. 'Als je hiernaartoe komt, laat het verleden dan thuis.' De ademhaling van zijn vader was onregelmatig en bijna warm in Clarks oor. 'Probeer geen dingen op te rakelen. Ik waarschuw je.'

Clark slikte.

'Als je hiernaartoe komt,' zei zijn vader, 'kom dan om te dansen. We nemen je mee naar de club. Geen bedankjes, geen verontschuldigingen, niet alles nog eens dunnetjes overdoen.'

'Oké,' zei Clark, en hij greep naar zijn hoofd, waarvan de twee helften plotseling elk een verschillende kant op wilden. Zijn ademhaling rook giftig. Hij voelde dat zijn dronkenschap hem ontglipte, als een flirt. 'Begrepen.'

Er bonkte iets in zijn hoofd. Al snel begreep hij dat er in werkelijkheid op de muur werd gebonkt, en een stem riep:

*Ga slapen! Ga godverdomme slapen!* Hij probeerde voor de woede terug te wijken, waarbij hij de telefoon van het tafeltje trok en het snoer uit het stopcontact. In de verte, in de ruit, zweefde zijn stompzinnige, serieuze gezicht met zijn grote neus voorbij.

# De brekebenist

Ze stond vlak achter de deur van de donkere, langgerekte bungalow en drukte haar voorhoofd tegen de hor. Aan weerszijden van de deur stonden gedroogde gele chrysanten in grote vazen. Clark liep naar haar toe en keek haar door de hordeur aan. Hij tilde de goedkope zonnebril op die hij bij de drogist had gekocht.

'Wat ben je lang!' riep de vriendin van zijn vader uit.

'Hallo,' zei hij.

'Je lijkt wel een boom. Een indiaanse krijger! Je vader zegt dat je indiaans bloed hebt. Klopt dat?'

Uit het huis klonk de maar al te vertrouwde stem van zijn vader: 'Ik lieg nooit.'

'Wat maakt het uit,' zei de vrouw, die Clark bleef aankijken. 'Zolang het geen saaie verhalen zijn, geloof ik alles. Jij niet? Ben je nog steeds zo'n ernstige jongen? Ik kan me je nog zo goed herinneren. Die opvallende blauwe ogen. Ik ben Penny.'

Ze droeg geen roze kleding, maar een zwarte jurk met

oranje bloemen en geplooide kapmouwtjes. Haar haar was grijzer dan hij had verwacht, maar ze had mooie, jeugdige schouders, nog steeds hetzelfde aantrekkelijke neusje en ronde heupen onder een strak aangetrokken ceintuur. Clark vond haar bijna overdonderend, zoals ze de hordeur open schopte zodat hij opzij moest springen. Ze pakte even hartelijk zijn hand en liet hem weer los.

'Ik heb je altijd graag gemogen,' zei ze zachtjes, terwijl ze een vingertop op zijn arm legde. 'Maar als je mij niet aardig vindt, moet je niet doen alsof. Ik zal het me niet aantrekken. Meestal heb ik ook een hekel aan mezelf, dus dat zou een band tussen ons scheppen. Eigenlijk ben ik voor niemand bang. Dat is een van de mooie dingen aan het ouder worden.'

'Kom nou naar de veranda,' riep zijn vader, wiens elleboog oplichtte in de zon die Clark dwars door het donkere huis heen kon zien. 'Breng me het offerlam!'

'Je vader houdt ontzettend veel van je, al weet ik dat het niet altijd als liefde overkomt. Maar ik heb oneindig veel geduld. Daarom kan ik zo goed met Wallace overweg. Kun je dansen?'

Clark keek naar zijn voeten.

'Heb je geen bagage bij je?'

'Nee,' zei Clark. 'Ik ben eigenlijk in een opwelling hierheen gekomen. Ik eh... ik was gewoon een eindje aan het rijden.'

'Een eindje aan het rijden.' De vrouw knikte.

Nadat zijn auto die ochtend vroeg uit de greppel bij de bioscoop was gesleept, was Clark eindelijk op pad gegaan. De zon scheen uitbundig en werd nog eens extra fel weerkaatst door de sneeuw, en hij moest de zonnebril kopen omdat zijn hoofd anders zou barsten. Een paar uur ten zuiden van Clementine was hij gestopt bij een café in een onopvallend plaatsje. In het café had hij een poosje zitten kijken naar de telefooncel buiten, waarvan de groezelige cilinder werd beschenen door het ochtendlicht. Ondertussen was hij steeds nerveuzer geworden. Eigenlijk moest hij twee telefoontjes plegen. Op de hele wereld waren er maar twee mensen die een telefoontje van hem verwachtten, maar toch betwijfelde hij of ze blij zouden zijn als ze werden gebeld door hem, de Koning van Hoe-Nu-Verder.

Toen Clarks vader opnam en zijn stem herkende, reageerde hij verbaasd. 'Ik had gedacht dat je je vanochtend niets meer zou herinneren,' zei hij met een zucht.

'Natuurlijk wel,' zei Clark, en hij vertelde dat hij onderweg was. Hij was al in Zus-en-zo en zou over een uurtje bij hen zijn.

'Waar is je vrouw trouwens?' vroeg Wallace.

'Thuis,' antwoordde Clark.

'Wacht even,' zei Wallace. 'Een jaar lang heb ik nauwelijks iets van je gehoord, maar nu maak je opeens een ritje zonder je vrouw en kom je bij me langs?'

'Zoiets, ja.'

'Blijf je daarbij? Mij best,' bromde Wallace. 'Nou, bereid je maar voor op een dansavond, want Penny en ik gaan vanavond naar Point Drum en ze is van plan er een gezellig uitje van te maken. En als je meegaat, wil ze hoogstwaarschijnlijk met je dansen. Je kunt wel een das van mij lenen. Heb je haar wel eens ontmoet?'

'Eén keer,' zei Clark. 'Pap...' Bij dat woord – verdorie nog aan toe – brak zijn stem. Er was op dat moment minder verkeer op de weg en het was stil buiten. Clark keek vanuit de plastic doos naar buiten, naar een wereld die door de goedkope zonnebril van de drogist vol donkere schaduwen zat. 'Pap, ik...'

'Ga me nu alsjeblieft niet bedanken,' waarschuwde zijn vader. 'Ik wil niet dat je mij bedankt of me vraagt jou te bedanken.'

'Oké.'

'Geen geforceerde lachjes. Gewoon dansen.'

En nu zag hij zijn vaders onbarmhartige gezicht met het hoge voorhoofd uit de schaduw van het donkere huis opdoemen. Wallace, een lang, donker silhouet, liep van het felle licht van de veranda achter het huis naar de gang en kwam zo snel op Clark af dat die niet eens tijd kreeg om zijn vaders hand, die droog en hard als een houten prothese was, langer dan een seconde vast te pakken voordat zijn vader zijn arm terugtrok en naast zijn lichaam liet hangen.

'Kom binnen,' zei Wallace.

Wallace Adair zat buiten op een tweezitsbankje, dat was bedekt met een stuk groen rubber dat als een luier ritselde. Penny Flanigan zat naast hem en haar mondhoeken wezen omhoog in een tamelijk wezenloos lachje. Het was koud, maar dat leken ze geen van beiden in de gaten te hebben.

'Zo,' zei Wallace. 'Hoe gaat het in jullie nieuwe woonplaats? Ik ben de naam even kwijt.'

'Clementine.'

'Zoals in dat liedje "Oh My Darling, Clementine"? Over die mijnwerker en zijn dochter Clementine? Dat beeldschone meisje dat zulke schuiten had dat ze geen sandalen droeg, maar haringkistjes? Eigenlijk moet Penny het zingen. Ze heeft een heel mooie stem.'

'Ik zing als een kraai,' zei Penny.

'*Oh my darling*,' zong Wallace om haar op gang te helpen, terwijl hij met zijn grote hand op haar dij sloeg. '*Oh my darling, oh my darling Clementine. La-la-lala, la-lu-lala, dreadful sorry, Clementine.*'

'Leuk,' lachte Clark, die op de maat meeknikte. 'Ik ken dat liedje niet.'

'Hoe kun je daar nou wonen en dat liedje niet kennen?' Wallace' blik was ernstig. 'Dat is net zoiets als in een nudistenkamp wonen en niet weten hoe een blote kont eruitziet.'

Penny en Clark lachten, maar Wallace niet.

'Het plaatsje stelt niet veel voor,' zei Clark, al dacht hij er met genegenheid aan terug. 'We zijn er gaan wonen vanwege het huis. We werden er min of meer naartoe getrokken. Alsof het huis ons had uitgekozen. Heel raar.' Echt heel raar, nu hij erover nadacht. 'Heb ik jullie een foto gestuurd? Het is klein en geel. Knus, zou je kunnen zeggen.'

'Perfect voor een jong stel,' zei Penny.

'O, zeker,' zei Clark, terwijl hij achteroverleunde. 'Een normaal huis in een normaal plaatsje.'

'Nou, ik heb nog nooit van Clementine gehoord en ik heb daar in de buurt gewoond,' zei Wallace.

'Het bestaat toch echt,' zei Clark. 'We hebben zelfs een dierentuin.'

'Ik ben dol op dierentuinen,' zei Penny.

'En een standbeeld van Vincent George. Die is er geboren.'

'O, ik ben dól op mimespelers!'

'Oké.' Wallace legde zijn hand op de glazen bijzettafel. 'Iedereen is overal dol op, dus ik ben blij voor je. Ik moet maar een keer langskomen. Maar ik ben een lastige logé. Je kent me. Het is nooit goed. Ik wil altijd een dikke lading zout op mijn eten. Ik weet niet eens of ik andere mensen wel leuk vind...'

'Wallace is een individualist,' zei Penny, terwijl ze haar arm uitstak en haar cocktail van de glazen bijzettafel pakte. 'Hij heeft graag mensen om zich heen om tegen ze te schreeuwen. Hij is verbazend populair.'

'Mensen vinden het geweldig als er tegen ze wordt geschreeuwd,' zei Wallace. 'Ik snap er niks van.' Hij keek naar zijn geliefde en priemde met zijn vinger naar haar. 'Ik vind haar leuk,' zei hij. 'En ik vind die rebelse vrouw van jou ook leuk. Dat vond ik meteen toen ik haar zag. Een echte feministe. Ik vind het prachtig als ze haar stem zo bits verheft. Ik vond het in het oude huis heerlijk om met haar in de keuken te zitten en whisky te drinken. Hoe gaat het met haar?'

'Met Charlotte?'

'Ja. Met Charlotte die niet is meegekomen.'

'Ik heb foto's van haar gezien,' zei Penny. 'Wat een mooie vrouw. Als ze haar haar afknipt, kan ze het voor veel geld verkopen.'

Clark pakte zijn glas aan de rand beet en walste zijn drankje rond. Hij zuchtte en keek naar het stel op het bankje, dat terugkeek. Achter hem lag het uitzicht, en ze bleven steels langs hem heen kijken. Ze hadden een vierkant, blauwgroen grasveld en een rij junibessen, en daarachter konden ze net een streep van de baai zien. Clark kon de schelpen en het zeewier ruiken.

'Tja, ik ben ook nooit bij jullie geweest,' zei Clark. 'En jullie wonen hier al zeker een jaar, of niet?'

'Ik woon hier al vijf jaar, sinds ik ben gestopt met werken,' zei Penny. 'Maar inderdaad, je vader is... later bij me ingetrokken.'

'Hm.' Clark draaide zich om en keek naar het uitzicht. 'Jullie wonen hier mooi.'

'Dank je.'

'Het uitzicht is fraai,' zei Wallace, 'maar het huis is donker en vochtig en volgepropt met zooi van Penny.'

'Wallace.'

'Je *objets trouvés*. Die troep die je op het strand vindt.' Hij keek naar Clark en legde uit: 'Ze vindt allerlei spullen op het strand. Troep. Alles krijgt een laklaag en wordt binnen tegen de muur gezet. Is dat kunst?'

'Neem hem maar met een dikke lading zout,' zei Penny,

zwaaiend met haar wijsvinger. 'Wallace is gek op zijn huisje. Zelfs op de strandkunst. 's Ochtends tref je hem hier aan, kijkend naar de tuin. Als de goudsbloemen gaan bloeien, moedigt hij ze zelfs aan. "Hup, je kunt het", zegt hij dan. Dat is de Wallace die Wallace voor de buitenwereld verborgen houdt.' Penny glimlachte, leunde met haar grijze haar tegen de tuinbank en schudde langzaam haar hoofd. 'Tja, Clark, zo is het nu eenmaal. In het geheim zijn we allemaal charmant. Onze hoofden zijn aan de binnenkant bekleed met zijde, als sieradendoosjes.'

'Dat ben ik met je eens,' zei Clark.

Penny stond op en liep naar de rand van de veranda. Haar hakken schraapten op het gladde beton. Ze leek al een beetje aangeschoten. Clark vond het leuk dat de drank haar vriendelijk maakte. Zijn vader werd doorgaans alleen maar scherp en bars. Haar gezicht was zichtbaar ouder geworden, maar haar wangen waren nog steeds vol en strak, haar armen leken opvallend haarloos en onder de opstaande, malle mouwtjes van haar jurk, die wel piepkleine dameshoedjes met roesjes leken, waren de rondingen van haar schouders te zien.

'Weet je wat mooi is?' mompelde ze. 'Als de mist in de tuin blijft hangen.'

'De mist?' vroeg Clark.

'Er blijven flarden achter. Dat kun je morgenochtend zien als je wilt.'

'Mijn god,' zei Wallace. 'Ik stel voor dat we naar de club gaan.'

'Het is echt zo. Geloof je me niet, Clark?'

'Dat moet je niet aan hem vragen,' zei Wallace. 'Clark ge-looft alles.'

Hij pakte Penny's arm en beet erin. Penny slaakte een gilletje.

Clark wendde zijn blik af. Opeens schaamde hij zich diep. Wat had hij hier te zoeken? Hij was vastbesloten en met een enorme wilskracht hierheen gekomen, maar wat had hij eigenlijk besloten, en wat wilde hij? Waar ging het om? Het was zo'n overdreven gebaar dat slechte acteurs maken. Hij miste de haveloze ruiten deken waaronder hij de afgelopen zomer op krachten was gekomen, door het grote raam in de woonkamer naar de vinken had gekeken en de bloemen in de haagdoorn had gezien, kleine witte bosjes die aan plumeaus deden denken. Hij miste de vin-ken, hij miste de haagdoorn. En ja, hij miste Charlotte. Hoe was dat in vredesnaam mogelijk? Hoe kon je degene mis-sen met wie het tot zo'n uitbarsting was gekomen? Hij kon niet aan haar denken zonder aan zichzelf te denken. En als hij aan zichzelf dacht... Hij had een hekel aan die vent.

'Clark?' vroeg Penny, terwijl ze hem een duwtje met haar schoen gaf. 'Geloof je het verhaal over de mist? Wallace ge-looft me nooit. Hij is een scepticus...'

'Een occasionalist.'

'... en hij vindt dat je overal aan moet twijfelen.'

'Nee, lieve schat, ik ben een occasionalist. Ik denk dat alles voor het eerst gebeurt. Ik vind dat je elk moment moet beschouwen alsof het nog nooit eerder is voorgekomen.'

'Wat akelig,' zei Penny kreunend. 'God verhoede dat we iets van de geschiedenis leren.' Ze draaide zich weer naar Clark en plukte aan zijn broekspijp. 'Wat ben jij, Clark? Brekebenist? Pepermuntalist?'

'Brekebenist,' zei Clark met een oprechte lach. 'Ja. Dat ben ik.'

Penny leunde achterover op de bank, zodat ze langs haar lichaam naar de twee mannen keek. 'Ik vind het leuk dat je er bent, Clark.'

'Dank je,' zei Clark.

'Ik ben altijd dol geweest op mensen zoals jij. Je bent een sympathieke jongen, en ik merk dat je mijn verhaal over de mist die in de tuin blijft hangen min of meer gelooft. Niemand gelooft me ooit. Vertel jij eens iets ongelooflijks.'

'Mijn hemel,' zei Clarks vader. 'Laten we alsjeblieft naar de club gaan.'

Clark bloosde. 'Ik weet niet of dat een goed idee is.'

Penny pakte haar knieën beet. 'Toe maar, je kunt het me wel vertellen. Ik geloof alles!'

'Laten we alsjeblieft gaan,' smeekte Wallace, die zijn benen als vleugels spreidde en sloot en de groene luier liet ritselen. 'We hebben gereserveerd.'

'Nou en?' Penny gaf hem een tik op zijn schouder. 'Wat maakt dat nu uit?'

'Jij wilde dansen.'

'Ik wil altijd dansen. Waarom vind je dat nu opeens vervelend?'

'Ik vind het niet vervelend, ik heb honger.'

'Eet maar een pinda.'

'Eet zelf een pinda.'

'Ik denk dat er andere mensen in mijn huis wonen,' zei Clark. 'Een heleboel. Allemaal tegelijk.'

Het stel viel stil en keek hem aan. Wallace liet zich stijfjes achterovervallen tegen het rugkussen. Penny zweeg, terwijl de schoen nog altijd aan haar tenen bungelde. Achter Clark klonk het zachte geluid van de baai, dat aan een wasmachine deed denken.

Uiteindelijk begon Penny te lachen.

'Ongelooflijk!' riep ze uit, terwijl ze zich op de dij sloeg en de ragdunne zoom van haar jurk verschoof. 'Ik was er bijna in getrapt!'

'Ja,' zei Clark glimlachend. 'Bijna.'

# Roze olifant

Ze gingen met z'n drieën aan een cocktailtafeltje bij het raam zitten. Het tafeltje was zo klein dat Penny vader en zoon tegelijk met haar ellebogen kon aanraken en de knieën van de twee mannen voortdurend tegen elkaar duwden. Wallace zette zijn grote schoen op die van Clark in de veronderstelling dat het de voet van het tafeltje was, en een kwartier later zat Clark nog steeds te wachten op een goed moment om hem weg te trekken. Toen de zon onder was, zag de baai eruit als een badkuip vol olie en gleed de maan over het spiegelgladde water. Boven een kleine dansvloer buiten waren Chinese lampions opgehangen. Er stond een suikerzoete instrumentale versie van 'I'll Be Home for Christmas' op. Niemand danste.

'Clark, als we je aan onze vrienden voorstellen,' waarschuwde Penny, 'voel je dan niet verplicht om aardig te doen. Ze zijn allemaal seniel en herinneren zich morgen toch niet meer wat je allemaal hebt gezegd. Bovendien ben je Wally's zoon. Ze zijn vast verbaasd dat er geen slangen uit je hoofd groeien.'

'Verdomme,' snauwde zijn vader. Clark schrok op en legde een hand op Penny's arm, een beschermend gebaar waarvoor hij zich onmiddellijk schaamde.

'Alweer xylofoonmuziek,' zei zijn vader terwijl Clark zijn hand weer weghaalde. 'Ik krijg er de kriebels van. Niemand op de hele wereld vindt een xylofoon een echt instrument. Waar is de piano toch gebleven? Heeft Tony Bennett dan helemaal voor niets geleefd?'

'Schrijf je idee op en doe het in de ideeënbus, schat.'

'Maar het is een klacht, geen idee. Hebben ze ook een klachtenbus?' Wallace keek Clark aan en gaf hem een por met zijn elleboog. 'Bereid je er maar vast op voor, Clark. Als je oud bent, luistert niemand meer naar je. Ze houden je gewoon aan het lijntje tot je doodgaat.' Hij keek naar Penny, greep haar hand en kuste hem.

'Hou op,' zei Penny.

'Ben je bang dat Birch Henderson jaloers wordt?' Wallace keek Clark gespeeld-samenzweerderig aan. 'Penny heeft Birch Henderson op de wachtlijst staan voor als ik dood ben. Een echte blaaskaak. Een tandarts. Met een toupet.'

'Hij dánst tenminste,' sneerde Penny, eveneens tegen Clark, zodat ze nu allebei in zijn oren zaten te kijken. Ze fluisterde: 'Wallace danst niet op xylofoons. Wallace danst pas als hij de beste van de hele dansvloer kan zijn.'

'Nietes.'

'Welles.'

'Níétes.'

'Wallace maakt overal een strijd van.'

'Nietes.'

'Welles.'

'Leugens! Vrouwenpraat. Ik ben fantastisch.'

'Je danst hypocriet.'

'Ik wist niet dat jij überhaupt danste, pa,' zei Clark.

De twee lijven weken terug. In de korte luwte die daardoor ontstond nam Clark een slok water. Hij had de aandacht op iets onaangenaams gevestigd, en hij merkte dat de twee hem dat kwalijk namen. Maar hij had zijn vader in de negenentwintig jaar dat hij leefde echt nog nooit zien dansen. Hij veegde de condens van zijn waterglas en schaamde zich opnieuw. *Hij bedierf de pret.* Penny en Wallace bewogen zich in een flakkerende schaduw en hij stond in het felle licht zoals hem was bevolen – een traag, makkelijk doelwit.

Hij probeerde het uit te leggen. 'Ik heb je gewoon nog nooit zien dansen, pa.'

'Tja,' zei Penny. Ze nam een slok wijn en keek de zaal rond.

Zijn vader leunde achterover en kneep zijn ogen half dicht. Zijn kleurloze gezicht was koud en plat als een tekening. 'Ik ruik een olifant,' zei hij, en hij zwaaide met zijn vinger.

'Welnee,' zei Penny. 'Je ruikt je eigen geroddel.'

'Jawel. Een grote roze olifant. Ik vraag me af wie dat beest hier heeft binnengebracht.'

'Wállace,' zei Penny.

'Zit-ie soms onder de tafel?' Zijn vader bukte zich stijfjes en keek onder het tafeltje. Clark trok zijn voet onder die van

zijn vader uit. Zijn vader tilde zijn broodbordje op en rook
eraan. Hij snoof de lucht rondom zijn zoon op. 'Wie heeft
er hier een olifant in zijn kontzak?'

De obers in de club droegen witte jasjes en nette overhemden. Pas toen hun ober bij het tafeltje stond, zag Clark dat
het een oudere zwarte man was met grote ogen en sproeten
op zijn wangen. Clark vond het walgelijk om in een club
vol blanken te zitten die door zwarten en een paar blanke
alleenstaande-moeder-achtige vrouwen werden bediend.
Clarks moeder en Wallace waren in Carnifex Ferry lid geweest van net zo'n soort club toen Clark klein was, en Clark
had daar een aversie tegen dit soort gelegenheden aan over-
gehouden. Hij herinnerde zich dat hij als kind voor de deur
van de dames-wc heen en weer had gelopen om af en toe
door de klapdeurtjes een glimp van zijn moeder op te van-
gen, die rookte en zichzelf langdurig, als in trance, in de
spiegel bestudeerde.
     'Hallo,' zei Clark hartelijk. 'Hoe maakt u het?'
     De ober keek Clark bevreemd aan. Toen legde hij tot
Clarks afgrijzen zijn hand op Wallace' sportjasje. Maar
Wallace draaide zich stijfjes naar hem toe en glimlachte.
     'David,' baste hij.
     'Dávid,' kweelde Penny.
     'Die teringmuziek staat weer op, David.'
     'Ik weet het, Wally, ik weet het,' zei die ober, en hij mas-
seerde zijn vaders schouder kalmerend met vingers met
witte toppen.

Clark knipperde met zijn ogen. Op het gezicht van zijn vader was een bescheiden en voorkomende grijns verschenen en hij legde zijn hand op de hand van de ander die op zijn schouder rustte. Wie was deze Wallace Adair – een áárdige man? Een tevreden man? Een man die met goudsbloemen praatte? Een man die graag een hand op zijn schouder voelde? Dezelfde man die zijn vrouw in haar kist niet had aangeraakt, maar om ondoorgrondelijke redenen een biljet van een dollar in de zak van haar jurk had gestopt? Had hij dat alles achter zich gelaten, zich door rampspoed bevrijd van zijn oude zelf?

'O, David,' zei Penny. 'Dit is Wally's zoon, Clark.'

'Hoe maakt u het?'

Clark knikte. Nu ze aan elkaar waren voorgesteld, was Davids blik ineens vol herkenning. Hij leek plotseling knap en wellevend.

'Als Wally niet met je wil dansen, kun je misschien met zijn zoon dansen,' zei de ober tegen Penny. Die zat aan haar ketting te friemelen.

'Penny wil met Birch Henderson dansen,' zei Wallace.

'Dan is het maar goed dat Henderson er vanavond niet is, Wallace. Hij is op bezoek bij zijn dochter in de stad.'

'Ik wist niet dat hij een dochter had.'

'Ik wist ook niet dat jij een zoon had,' zei David.

Daarna haperde er weer even iets in de tijd. Het viel Clark op dat de tijd steeds bleef steken. Wallace' enorme handen zweefden even boven het broodmandje, zijn gezicht nam een ontspannen, peinzende uitdrukking aan, en toen daalden de handen af tussen de servetjes en ging iedereen door met lachen en praten. Enkele ogenblikken later was er afgesproken dat Penny na het eten met Clark zou dansen, ja toch, en het zou heus wel warm genoeg voor haar zijn want ze was zo'n spring-in-'t-veld, en wat was die jongeman lang, het was precies zijn vader veertig jaar geleden, en kijk nou, Alfred en Bunny Malcolm waren net de dansvloer op gestapt en als zíj het konden...

Maar halverwege de maaltijd werd Clark opnieuw overvallen door een vermoeidheid die hij in geen maanden had gevoeld. Hij voelde zich niet vrij, al was hij uit Clementine ontsnapt. Sterker nog, hij voelde zich nog beroerder dan daar. Zwaarder dan de afgelopen zomer, voordat hij dat jongetje had gered. Hij had het gevoel dat het zetten van één stap of het optillen van een vork met een stukje kip erop een heroïsche daad zou zijn waartoe hij niet in staat was. De tijd prefereerde ellende boven geluk. Hij vertraagde op akelige momenten en sleurde je met een noodgang door de fijne heen.

Hoe moest je het dan een heel leven lang volhouden zonder ooit door dat verleidelijke gat in de heg te duiken, zoals zijn moeder had gedaan? Penny babbelde over een occultistensekte waarover het gerucht ging dat de leden 's nachts op de golfbaan van Point Drum bijeenkwamen. Haar tanden hadden roze vlekken van de wijn en ze hikte af en toe. Door die kleine stuiptrekkingen schoten de ruches op haar mouwen omhoog, alsof ze opsteeg, en haar lieve en vrolijk rondzwevende stem krulde zich om Clark heen, zoals de uitlopers van een klimplant zich in de loop van één warme dag rond de paal van een hek of een stoel kunnen krullen, en ketende hem aan zijn stoel vast, totdat hij merkte dat hij zijn vader ongegeneerd zat aan te staren.

Wallace genoot. Clark had hem in jaren niet zo gelukkig gezien. Hij vond het duidelijk fijn om uit en onder de mensen te zijn. Plotseling voelde Clark zich ten diepste gekwetst omdat zijn arme getikte moedertje dood was en hijzelf hier met een kater, eenzaam en zonder Charlotte zat terwijl zijn vader precies kreeg wat hij wilde. Voor Wallace was Penny Flanigan altijd het vage roze droombeeld in de verte geweest, achter het afgesloten hek. En nu zaten ze hier allemaal bij de golfclub van Point Drum roze zinfandel te drinken alsof de vervulling van één wens de behoefte aan alle wensen voorgoed bevredigde, als een gevangene die, als hij eenmaal over de muur van de gevangenis is geklommen, zijn medesamenzweerders met een milde onverschilligheid beziet.

'Zit me niet zo aan te staren, jongen.'

Clark schudde zijn hoofd en zuchtte snel. Zijn vader had het discreet gezegd terwijl Penny meer wijn bestelde, en dat leek een vriendelijk gebaar.

Penny draaide zich weer naar hen toe, nog nalachend om een grapje dat Clark niet had gehoord, haar ogen half dichtgeknepen van plezier. Ze zuchtte.

'Goh,' zei ze tegen niemand in het bijzonder, 'wat een prachtige mistige avond.'

Dat was het inderdaad. De mist was vanaf het water komen opzetten en hing nu boven de dansvloer. De Malcolms dansten nog steeds. Meneer Malcolm leidde zijn vrouw stijfjes maar gracieus over het onzichtbare oppervlak.

'Ik ben bij Charlotte weg,' zei Clark.

Hij keek zijn vader aan. Achter hem, aan de andere kant van het raam, dansten de dansers in rook.

'Als ik een paar dagen zou kunnen blijven, om alles op een rijtje te zetten...'

Zijn vader zei niets. Hij nam een luidruchtige slok van zijn whisky-soda.

'Natuurlijk kan dat,' zei Penny. 'Och, arme jongen.'

Clark keek naar zijn bord. Toen keek hij Penny aan en zei hulpeloos: 'Ik weet niet hoe het is gebeurd. Zó zijn we nog gelukkig getrouwd, en zó maken we ineens constant ruzie en zit zij in het donker in dat stomme huis te drinken en... me alleen maar aan te staren. Alsof ze... zwaar teleurgesteld in me is. En ik probeer wat voor anderen te betekenen, ik begeleid een paar kinderen van school en oké, dan blijken die van alles van ons te stelen – allemaal rotzooi, wat maakt het uit? Er zijn in dat huis allerlei rare dingen gebeurd. Maar misschien verbeeld ik me dat allemaal maar. Misschien ligt het aan mij...'

'Rustig maar, schat,' zei Penny.

'En we hebben ruziegemaakt en van alles tegen elkaar gezegd... Dus toen ben ik er als een haas vandoor gegaan. Maar vanwege de sneeuw moest ik in de koninklijke suite logeren en met een múúr praten,' vervolgde hij, al wilde hij niets liever dan ophouden met praten. Hij legde zijn handen op zijn hoofd en staarde naar het kaarsvlammetje. 'Ik heb geen idee waar ik in godsnaam mee bezig ben,' zei hij. 'Echt niet. Ik had gedacht dat het me op mijn leeftijd vanzelf duidelijk zou zijn wat ik moest doen. Maar ik heb geen flauw idee.'

Zijn vader fronste zijn voorhoofd. Wat wilde hij daarmee zeggen? Clark raakte de draad van zijn verhaal kwijt.

'Ik ben bij mijn vrouw weg,' zei Clark met nog meer nadruk, waarbij hij op de maat van de woorden met zijn botermesje op tafel tikte. Het kaarslicht flakkerde op de muur.

Na een poos vroeg Wallace: 'Dat is het?'

'Wat?'

Penny legde haar hand op die van Clark. 'Och, lieverd,' zei ze. 'Je bent niet bij haar weggegaan.'

'Hè?' Zijn stem schoot uit. 'Ik zit hier toch? Ik ben weggegaan.'

'Zo makkelijk sla je niet van je anker, hoor,' mompelde Penny. 'Dat zul je wel zien.'

'Ik zie het nu al!'

Penny legde kalm haar handen op tafel en sloeg haar ogen neer terwijl ze praatte. Achter haar bewogen de obers zich zo geluidloos als vissen in het kaarslicht.

'Je roept bepaalde dingen in het leven,' begon ze. 'Je smeedt bepaalde banden, die uiteindelijk sterker worden dan jijzelf. Die banden gaan een eigen leven leiden, een soort derde leven, een kind, iets wat je samen met iemand anders opbouwt. Ze zijn krachtiger dan jij ooit zult zijn. Het is enerzijds mooi en anderzijds angstaanjagend. Dat is liefde!' Ze lachte zachtjes en haalde haar schouders op. 'Het is het enige aan je wat onsterfelijk is. Zelfs als jij weggaat, is die liefde er nog. Zelfs als je doodgaat, is ze er nog. Achter je, als rook. Liefdesrook.'

Er trok een schaduw over haar ogen. Ze hief haar blik, zwaar van de jaren, op naar haar geliefde en veegde haar lippen af met een servet. 'Nou, daar heb je je roze olifant, Wally,' zei ze kortaf. 'Clark en Charlotte op de klippen.'

'Nee,' zei zijn vader, en hij schudde zijn hoofd. 'Dat is het niet. Dat is niet de hele olifant.'

'Hè, toe nou,' kreunde Penny. 'Laten we gaan dansen. Laten we lol maken. Het is zaterdagavond! Zet het van je af, al die ellende is er heus ook nog wel als we terugkomen.'

Ze trok net zo lang aan Clarks armen tot hij stond.

'Wil jij even een oogje op onze ellende houden, Wallace?'

'Ik zal over jullie ellende waken. Zodat niemand er wat van jat.'

'Maar ik wil helemaal niet dansen!' riep Clark.

'Je klinkt precies zoals je vader,' zei Penny, en ze trok hem mee naar de dansvloer, waar de paren zich nu eens helder zichtbaar, dan weer vervagend door de mist bewogen.

# De schade

De volgende dag zat Clark Penny's plakboek met gedroogde bloemen te bekijken toen zijn vader opstond en zijn broek ophees. 'Jongen,' zei hij, 'ik mag je graag, maar je bent een sufferd.' Clark wees net bewonderend naar een geperste gardenia en zijn vinger bleef in de lucht hangen. Het was middag, de schaduwen schoven langzaam door de tuin en opeens besefte Clark dat zijn vader hem iets waars vertelde. Hij had deze lange reis niet gemaakt om naar gedroogde bloemen te kijken. Hij was niet gekomen om gezellig met zijn vaders vriendin op te trekken, te gaan strandjutten of zich als een hond om te rollen om aardig gevonden te worden. Sterker nog, de verkwikkende kracht die hem had aangespoord uit Clementine te vertrekken en naar zijn vaders huis te rijden voordat hij zelf besefte waar hij naartoe ging, was uit hem weggegleden en had niets anders dan een bijna verbleekte zuigzoen achtergelaten, en weer had hij het gevoel dat hij geen grond onder zijn voeten had. Daar zat hij dan, een sufferd die droogbloemen bekeek met de twee mensen wier liefde zijn moeder fataal was geworden, alsof hij met zijn neus op de belastende feiten werd gedrukt.

En toch ging Clark niet weg. Hij was er letterlijk niet toe in staat. Hij dacht aan Charlotte en voelde wroeging, maar stopte haar net zo makkelijk weer terug in een onzichtbaar hokje. Vier dagen na zijn aankomst leek zelfs Wallace dat te accepteren. Hij liep met zijn glas whisky om de wilg heen en snoof van tijd tot tijd lucht op die zo fris en zilt was dat hij wel móést doordringen tot in de onbezielde leegte – de sceptische, occasionalistische levenloosheid in zijn binnenste. Het was bijna Kerstmis en Wallace leek zich erbij neer te leggen dat hij die feestdag met zijn zoon zou moeten doorbrengen.

Later lag Clark met een arm achter zijn hoofd op zijn eenpersoonsbed, dat te kort was voor zijn lange benen. Zijn kamer was de laatste in de gang, een donker, klein vertrek met een boekenplank vol uit elkaar vallende detectives die hij was gaan lezen. Hij zorgde dat hij de kamer en zijn bed netjes hield, zijn schoenen keurig naast elkaar zette en meteen kwam als hij geroepen werd. Maar het was ook een veilig gevoel om te niksen, een soort doorgeschoten kind te zijn, alleen en in zijn eigen wereldje.

'Hallo.' Penny stak haar hoofd om de deur. Haar haar hing los, waardoor hij kon zien hoe zacht en dun het was.

Clark liet zijn boek zakken. 'Hallo. Wat kan ik voor je doen?'

'Ik heb je hulp nodig,' zei Penny. 'Loop je even mee?'

Hij liep achter haar aan naar de woonkamer, gevolgd door zijn lange schaduw, tot ze bij de kleine blauwspar kwamen die was opgetuigd met schelpen die Penny en Clark op het strand hadden gevonden. Onder de kerstboom lagen een paar cadeaus.

Clark lachte. 'Als Charlotte hier was, zou ze de hele dag met die doosjes rammelen.' Hij liep bewonderend om de boom heen. 'Ze heeft een hekel aan raden. Ze wordt gek van cadeauverpakkingen.'

'Hou eens vast,' zei Penny, terwijl ze hem een kerstboomversiering gaf. 'Ik durf te wedden dat ze best zou willen weten waar jij bent.'

Clark tuitte zijn lippen en keek naar de boom.

'Heb je haar al gebeld?'

'Nee,' antwoordde Clark.

Penny draaide zich naar de doos met versieringen en begon er lawaaierig in te rommelen. Ze haalde er een beschilderde engel van drijfhout met vleugels van goudfolie uit en gaf hem aan Clark.

'Wil jij die boven op de boom zetten?'

'Toen ik klein was, maakte ik ook kerstversieringen.'

'O ja?'

'Hobbelpaarden van sokken, beschilderde blikjes. Toen mijn moeder stierf, vond ik een hele doos met zelfgemaakte kerstversieringen. Ze had ze allemaal bewaard. Maar ja, ze bewaarde ook doosjes van oude panty's en gebruikte stukken aluminiumfolie. Ze had nogal moeite om dingen weg te gooien. Ze dacht dat iemand ons afval doorzocht.'

Penny zette een stoel voor de boom. Clark stapte met zijn volle gewicht op de zitting.

'Maar goed,' zei hij. 'Inmiddels is alles weggegooid. Mary en ik hebben alles naar de vuilstort gebracht.'

Clark zette de engel boven op de boom. Toen hij zijn hoofd draaide en uit het raam keek, zag hij zijn vader in een wollen vest uit de richting van het water komen. Onzekere stappen. Het hoofd met het vettige haar gebogen. Zijn grote, stijve handen zwaaiden langs zijn lichaam. Clark wendde zijn blik af.

'Ik heb jou een keer gezien,' zei hij, staand op de stoel. 'Toen ik klein was. Door het raam van een ijssalon. Ik vond je mooi.'

Op het moment dat hij van de stoel stapte, greep Penny hem tot zijn stomme verbazing bij de schouders. Ze had haar lippen zo stijf op elkaar geperst dat haar mondhoeken wit waren, en op haar hals waren haar aangespannen spieren zichtbaar. Ze hield hem zo verbeten vast dat hij bijna moest lachen. Hij trok zijn handen onhandig omhoog naar zijn borst.

'Ik word ontzettend verdrietig van jou,' zei ze met trillende stem. 'Van jouw karakter. Je stelt je kwetsbaar op. Weet je niet dat andere mensen daar een hekel aan hebben? Arme jongen. Waarom ga je zo achteloos met jezelf om?'

Doodsbenauwd keek Clark naar de achterdeur. Hij wilde haar wegduwen.

'Ik moet je iets vertellen,' zei ze. 'Jullie zijn slachtoffers. Jij en Mary en mijn kinderen. We hebben jullie namelijk belazerd. De wereld was onze verantwoordelijkheid. Maar we kregen jullie en toen hebben we de wereld op jullie afgeschoven. Al onze ellende. Uiteindelijk gaven we niet genoeg om jullie. Zelfs je arme moeder gaf niet genoeg om jullie. We waren allemaal... ergens anders.' Ze liet hem los en haar hele lijf leek in te zakken, alsof haar levenssappen – haar gezonde, roze kleur – uit haar vingertoppen wegsijpelden.

'En daarom bied ik je mijn excuses aan. Namens ons allemaal. Je weet natuurlijk dat je vader dat nooit zal doen en dat je moeder het niet meer kan. Het spijt me,' zei ze. 'Misschien is het voor mij te laat om dat nog te zeggen. Maar voor jou niet. Voor jou is het niet te laat. Jij zou oprecht kunnen zeggen dat je spijt had van de dingen die je hebt gedaan, of tot nu toe nog niet hebt gedaan. Vreselijke spijt. Je zou het kunnen ménen. Zorgen dat het ertoe doet. Ik ben ervan overtuigd dat je dapperder kunt zijn dan wij...' Penny boog het hoofd. 'Toen je moeder stierf, ging het leven meedogenloos door. We keken ernaar. We wisten dat wij ook snel aan de beurt zouden zijn en net als zij voornamelijk schade zouden achterlaten. Aan ons zou een einde komen, maar aan de schade... de schade...'

Ze snikte één keer en zette toen lachend een stap achteruit.

'Zo is het niet,' zei Clark. 'Zo hoeft het niet te zijn.'

'Dan moet je iets dóén, Clark,' riep ze uit. 'Hou op met braaf meedoen!'

Wallace rammelde aan de achterdeur. Zijn hoofd was onzichtbaar door het roze valletje.

'Ik begrijp het niet goed,' zei Clark.

Penny draaide haar betraande gezicht naar de deur. Toen maakte ze een wegwuivend gebaar en liep de kamer uit.

'Laat hem ook maar binnen,' zei ze.

Clark staarde naar de kerstboom. De engel stond er scheef op. Penny verdween door de gang. Ze hield haar beide handen op haar nek, onder haar haar. Wallace rammelde weer aan de achterdeur. 'Goddomme, doe open.' De oude man pakte de revers van zijn vest beet, boog zich voorover en probeerde onder het valletje door te kijken.

'Jij daar,' zei hij, wijzend met zijn vinger. 'Kom hier. En schenk wat voor ons in.'

Buiten was het ongewoon warm voor december. Een groepje kinderen kwam voorbij met een vismand en een schepnet en liep in de richting van het strand bij Point Drum. Nadat Clark een whisky-soda in de grote hand van zijn vader had gedrukt, zwaaide hij naar de kinderen, en ze zwaaiden terug.

Wallace tikte op de tuinstoel naast hem.

'Kom eens bij je vader zitten,' zei hij.

'Met alle plezier,' zei Clark.

Naast elkaar keken ze naar de baai. Door hun gezichtsveld gleed een kleine kits. Ondanks het geluid van de wind en de ruisende populieren hoorden ze af en toe de galmende klank van een belboei.

'Het is aardig dat ik hier mag logeren,' zei Clark. 'Ik weet dat ik een volwassene ben, maar het is ook fijn om een zoon te zijn. Gewoon in huis rondhangen en de auto wassen. Het leven was vroeger ontzettend eenvoudig.'

Zijn vader knikte.

'Pa, ik heb een plan,' zei Clark. 'Ik ga... ik ga orde op zaken stellen. Ik sta op het punt de juiste beslissingen te nemen. Ik ben te voorzichtig geweest, en dat is geen kenmerk van een groot man. Een groot man heeft geen plan B. Begrijp je wat ik bedoel?'

Clark hoorde een nerveuze ondertoon in zijn stem. Hij moest zijn best doen om niet naar zijn vader te kijken. Het Plan, dacht hij. Vertel hem nu maar gewoon over het Plan.

'Nu ik hier ben, heb ik eindelijk het besluit genomen om na de kerstvakantie mijn baan op te zeggen. Al kan het best zijn dat ik inmiddels ontslagen ben.' Hij wenste dat hij een glas had, of iets anders dat hij kon vasthouden. 'Wie wil er nu certificaten voor voetbalkampen uitschrijven? Ik niet!' Hij lachte, al begon zijn vastberadenheid al te wankelen. Achter hem begon het Plan al te verbrokkelen, maar hij hoopte dat zijn vader toch goedkeurend zou knikken en zou zeggen dat hij met de juiste inzet alles kon bereiken. 'Ik wil niet zeggen dat mijn leven buitengewoon is, maar het ging deze zomer best goed met me. Ik voelde me onkwetsbaar. Bijzonder. Heroïsch. In de periode daarvoor was ik lethargisch geworden, en dat verdween, ik was als herboren. Maar daarna... Ik weet niet wat er veranderd is. Telkens wanneer ik in de buurt van die herboren man kom, raak ik mijn grip op hem kwijt...'

Clark hield op met praten, want hij besefte dat zijn vader

hem niet zou willen volgen als hij nog verder naar het terrein van de beeldspraak of de poëzie afdwaalde. Hij wilde de gulle gaven beschrijven, maar daar was hij opeens niet meer van overtuigd, en hij wist niet meer precies wat hij daarmee bedoelde. Hij wierp een steelse blik op zijn vader, die tolerant glimlachte, als een geestelijke.

'Ik heb altijd voor een krant willen werken.'

'Nou, dat lijkt me prima,' zei zijn vader.

'Echt waar? Meen je dat?'

'Ja hoor. Het is allemaal prima en allemaal vreselijk. Als ik had kunnen kiezen, was ik veertig jaar geleden al met pensioen gegaan.'

Clark knikte. De voordeur ging krakend open en dicht. Ze hoorden Penny's houten klompen op het pad in de voortuin.

'Vertel eens,' zei zijn vader. 'Wil je het er nu over hebben?'

'Waarover?'

'Wil je het nu bespreken of blijf je het uitstellen?'

'Ik eh...' stamelde Clark. 'Ik weet niet wat je bedoelt.'

'Schei nou toch uit. Waarom vertel je niet gewoon wat je op je lever hebt? Je hebt nu lang genoeg getreuzeld.' Wallace keek op zijn horloge en legde zijn harde vingers op Clarks arm. 'Je bent hier nu al dagen. Zeg nu maar gewoon dat je niet bent gekomen om in huis rond te hangen en de auto te wassen. Je wilt iets van me.'

De oude man leunde achterover en richtte zich tot het plafond. 'Hou je niet van je vrouw? Staat ze je niet aan, of sta jij haar niet aan? Vind je haar niet mooi meer, of lijkt ze te schrikken als je haar aanraakt? Daar moet je mij niet de schuld van geven.' Zijn stem werd opeens harder en zijn woorden vielen striemend als hagel uit de lucht. 'Ik wil dat je goed naar me luistert. Je mag mij niet de schuld geven van je belachelijke ambities. Ik heb nooit tegen je gelogen. Dat deed zij. Zij!'

En toen hij zijn ogen dichtkneep, zag hij haar. Vera. Niet als jonge, gelukkige vrouw, maar oud en verslonsd en in haar witte nachtpon. Ze verscheen zomaar op zijn netvlies, en haar grijsblauwe ogen glommen van verwondering over haar deerniswekkende omstandigheden.

'Je moeder dacht dat het leven perfect hoorde te zijn,' herinnerde Wallace zich met samengeknepen ogen. 'Je had haar gezicht moeten zien als er iets misging. Ze was paranoïde. Dat kunnen ze tegenwoordig prima behandelen, maar ze weigerde naar de dokter te gaan. Die keer in Florida moest ik een list bedenken. Arme jongen, jij dacht dat we op vakantie waren. Je moeder liep drie keer weg uit de inrichting en ik moest haar zoeken terwijl jullie op het strand speelden. Het begon allemaal toen je arme zus werd geboren. Ze begon mij ervan te beschuldigen dat ik dingen stal. Als Mary de hoek om kroop, zei ze: "Mijn kind! Je hebt mijn kind gestolen!" Het verbaasde me trouwens al dat ze zwanger was geraakt, want ik mocht maar zelden haar slaapkamer in. Daarna waren we niet "gelukkig" meer. En toen werd jij geboren. Ik heb een poosje getwijfeld of je wel een kind van vlees en bloed was. Met al die rare verhalen van haar was ik bang dat we je misschien hadden verzonnen. Alsof je uit waanzin was geboren.'

Clark kuchte en ging rechtop op zijn stoel zitten. Hij voelde een enorme drang om in zijn auto te stappen en weg te scheuren, altijd te blijven rijden, nooit meer te stoppen. Met een doodsbenauwde blik keek hij naar zijn vader.

'Daar hoeven we het allemaal niet over te hebben, pa,' zei hij. 'Ik vind het niet... eerlijk om het over haar te hebben nu ze zich niet meer kan verdedigen.'

'Verdomme, zeg toch niet altijd dat het leven eerlijk moet zijn. Je bent volwassen. Alleen kinderen houden vol dat alles eerlijk moet zijn.' Het woord 'kinderen' was de tweede klap voor hem, een klap die hem volledig uit het veld sloeg, en het drong met een schok tot hem door dat hij zinkende was, als een schip, dat hij al zinkende was sinds ze een jaar geleden was gestorven, maar dat hij te trots was geweest om dat zelfs maar tegenover zichzelf te erkennen. Hij zou wel dood willen zijn als hij daarmee een einde aan dit gesprek kon maken. Hij beet op de binnenkant van zijn wang en wendde zijn blik af. Tranen zouden zijn vader alleen maar nijdiger maken.

'Maar laten we het niet over de latere jaren hebben,' vervolgde Wallace, terwijl hij een bepaald beeld uit zijn hoofd probeerde te schudden. 'Die kunnen we nog niet doorgronden, dus dat moeten we niet eens proberen. Ik zal je over je moeder vertellen. Je had haar moeten zien toen ze jong en gezond was. Ze glansde, ze straalde, ze was perfect. Haar haar reikte tot aan haar achterwerk en ze waste het – ik denk dat je dat wel weet – met valeriaanwortel. Ze had een fantastische, koninklijke uitstraling. In de saaiste situaties kon zij nog een koningin lijken. Koningin van de barbecue. Koningin van de gezelschapsspelletjes. Als ze een van haar buien had – in de tijd dat het nog gewoon buien waren – zei ik: "Een stuiver voor je gedachten, schat", en dan draaide ze zich om en zei ze: "Lieverd, mijn gedachten zijn minstens een dollar waard."' Wallace lachte zachtjes. 'Minstens een dollar! Ze was nog heel jong. Ze wilde het huis uit, weg van haar vreselijke vader, en ik bood haar die kans. Ik was een stuk ouder dan zij...'

'Net als Penny,' betoogde Clark, half tegen zichzelf. 'Penny is ook jong.'

Zijn vader draaide zich opzij en keek hem kalm aan.

'Nou ja, ik bedoel maar,' mompelde Clark.

'Zie jij dit gesprek soms als zo'n kleurplaat met genummerde vakjes?' vroeg zijn vader met gedempte stem. 'Mijn lieve jongen, je moet het hele verhaal horen. Daar kwam je toch voor? Je moeder is nu een jaar dood. Bijna op de dag af. Kijk me alsjeblieft niet aan alsof je dat was vergeten.'

Clark wendde zijn blik af. Hij was het wel vergeten. En tegelijkertijd ook niet.

'Maar goed,' zei Wallace. 'Je moeder was een stralende schoonheid en ik was een dwaze dandy. Maar het dandytijdperk liep ten einde. Opeens mocht je je haar niet meer laten knippen of met een vrouw aan de arm lopen. De herenmodezaak in Carnifex Ferry ging dicht. Ik weigerde in een stadje te wonen waar je niet eens een fatsoenlijk pak kon kopen. En er was daar nog een vrouw in het spel geweest. Vóór Penny.'

'Mijn god, pa.' Clark stond op. 'Ik stel voor dat we hiermee ophouden. Ik wilde je niet van streek maken met mijn komst. Ik weet niet wat ik hier kwam doen. Ik kon nergens anders naartoe toen ik bij Charlotte wegging.'

'Nee, dat is niet de reden dat je hier aanklopte. Ik leg je net uit waarom je bent gekomen. Dit draait niet om Charlotte. Ga zitten. Ga zitten! En loop hier verdomme niet steeds voor weg. Jij bent erover begonnen.'

'Nee, jíj bent erover begonnen!'

'Nee. Dat is niet waar. Ik ben niet degene die om onduidelijke redenen opeens bij jou op de stoep stond en dacht dat ik je in de kersttijd misschien wel wat inschikkelijker zou aantreffen, zodat ik een poging kon doen je op je schuldgevoel te werken. Denk je soms dat ik met de jaren milder word? Nu ik de dood in de ogen kijk? Denk je dat ik je dan wel op de goede manier liefde kan geven? Ik heb geen tijd om te veranderen, Clark. Kijk me aan. Kijk naar me! En kijk daarginds. Wat is dat?'

'Dat? Een boom.'

'En dat?'

'Jezus, pa.'

'Wat is dat?'

'Een auto.'

'Heel goed. Een auto. En dat noemen we een huis. Het is maar een woord, maar meer hebben we niet. Huis. Auto. Boom. Daarginds hebben we water. Boten. Vissen. En kijk eens omhoog. Hup, kijk eens naar boven! Dat is de lucht. Onder je voeten ligt de grond. Ik heb mijn best gedaan je dat allemaal uit te leggen. Ik heb het geprobeerd, maar je zat gevangen in een droom. Háár droom. Dat wil ik je uitleggen, Clark. Nu je hier bent, besef ik dat ik je iets wil vertellen. Nee, blijf gewoon zitten. Wat ik wil zeggen, is dat ik het voor jou fijn vind dat ze dood is.'

'Pa!' Clark klemde zijn hoofd in zijn handen. Door het verdriet zag hij minder scherp. 'Ik wil er niet over praten!'

'Luister naar me!' Zijn vader boog zich naar hem toe, waardoor Clark zijn adem voelde. 'Besef je dan niet dat ik word verteerd door schuldgevoel? Mijn haar valt met bossen uit en mijn vingers zijn opgezwollen en rotten rond de knokkels weg. Een deel van me is al vergaan. Maar dat kan me niet schelen! Ik geef niets om mezelf. Ik geef om niemand. Jij was mijn misstap. Mijn blunder. Ik heb je samen met haar gemaakt en jij was mijn zoon en ik kon er niets aan doen. Bij Mary ging het heel anders. Als jij als baby huilde, huilde ik met je mee. Waarom had ik jou op de wereld gezet terwijl ik wist wat er allemaal speelde? Je was zo'n lief jongetje, zo'n liefhebbend kind, maar je was slechts een offerlam. Zo, daar heb je mijn bekentenis. Iedere ouder zou het zeggen als hij niet zo verrekte naïef was. Maar Clark...' Wallace boog naar voren en ging langzamer praten. '... ik moet zeggen dat je een dwaas bent geworden. Een verspilling van mijn schuldgevoel. Ik wilde een god zijn, maar ik kreeg last van goedkope emoties, net als iedereen. En zelfs die ben je niet waard. Want je hebt een kans door je vingers laten glippen. Weet je welke kans ik bedoel?'

'Nee,' fluisterde Clark.

'Weet je het nu nog steeds niet? Zelfs nu je huwelijk, je baan en je hele leven op het spel staan?'

'Nee. Nee, echt niet. Het spijt me.'

'Verontschuldig je niet, goddomme! Je weet dat ik daar een bloedhekel aan heb. Ik zal jou nooit mijn verontschuldigingen aanbieden. Kijk me aan. Ik ben Wallace Adair, gewoon een oude man die de wereld net zo goddeloos verlaat als hij hem heeft aangetroffen.'

Met zijn harde, gebalde vuist sloeg Wallace Clark op de arm. Een lok stijf, grijs haar gleed over zijn voorhoofd.

'Jezus, pa. Niet slaan!'

'Hoe kon ik jou nu helpen?' riep Wallace uit, terwijl hij zijn harde vuist nogmaals met een klap liet neerdalen. 'Je was ongrijpbaar als water! En toen geschiedde er een wonder, vermomd als tragedie: ze ging dood! Dat was je kans. Ze liet je vrij! Het is het edelmoedigste wat ze ooit heeft gedaan! Wat me met stomheid slaat, wat me gék maakt, is dat je misschien niet eens de benen neemt als ík doodga. Je blijft wankelend voortstrompelen, op zoek naar een nieuwe gevangenis.'

'Ik waarschuw je, pa. Hou op met slaan. Ik ben sterker dan jij!' Maar Wallace haalde onverwachts uit met zijn andere hand, en Clark ving de vuist op en kneep erin tot de knokkels kraakten. Maar hij schrok van het geluid, want hij was niet van plan geweest zo hard te knijpen en zijn vader maakte van de gelegenheid gebruik door hem met zijn vrije, halfgeopende vuist een dreun te geven, recht op zijn oor, waardoor er een doffe galm in zijn hoofd ontstond. Clark was niet zozeer verlamd door de klappen als wel door de lang onderdrukte geestdrift waarmee ze werden uitgedeeld. Een ambitieuzere stomp raakte hem op de hals, op het gevoelige plekje onder zijn adamsappel, en hij bulderde ongelovig: 'Hou op!'

Maar Wallace Adair hield niet op. Met een verwilderde blik leunde Clark achterover op zijn stoel. Hij was zo ontzet dat hij niet eens op de gedachte kwam zijn arm op te tillen om zich te verdedigen. Hij keek alleen maar naar die furieuze bewegingen, het stugge haar dat nu in zijn vaders ogen hing, waardoor Wallace bijna blindelings in het rond sloeg en twee keer de houten stoel naast Clarks gezicht raakte.

Er klonk een hoge toon, een langgerekte, verdrietige kreet. Clark wist niet waar het geluid vandaan kwam tot hij de schoentjes van Penny in de deuropening zag staan. Een jammerende vrouw. Penny kloste gillend het terras op en haar haar viel over haar schouders. Ze zwaaide met een snoeischaar. De snijbladen glinsterden boven Wallace' hoofd.

'Ik heb een wapen, hoor!' schreeuwde ze.

De eerste keer keek Wallace op zonder haar te zien. Hij draaide zich weer naar zijn zoon en bleef blindelings uithalen, en door het haar heen zag Clark dat zijn vaders ogen vol tranen stonden. De weerkaatsing van het metaal van de schaar scheen als een zaklantaarn over het terras, maar de oude man bleef worstelen en uithalen zonder iets te zien. Steunend mengde Penny zich in het handgemeen. 'Wally!' schreeuwde ze. Toen Clarks vader weer opkeek, had hij geen oog voor de snoeischaar. In zijn blik was nu tedere herkenning te zien, alsof zijn vriendin hem alleen maar een kus wilde geven. Het licht van het snijblad gleed over Wallace' oog.

En toen stopte hij. Hij hield op en trok zijn gezwollen handen terug alsof hij zich had gebrand. Hij zakte onderuit op zijn tuinstoel en wendde zijn sproetige gezicht af naar het water.

Een paar tellen lang verroerde niemand zich.

Wallace begon hijgend aan zijn kraag te friemelen. Penny keek naar haar geheven hand. De snoeischaar kletterde op de betonnen veranda. Ze knielde bij Wallace neer en prutste met haar trillende vingers de bovenste knoop van zijn overhemd open. Clark keek naar haar, een vrouw die op haar bezwete lip beet terwijl haar vingers met het knoopje worstelden. Haar vader klapte zijn knieën open en dicht alsof het vlindervleugels waren. Zijn handen tastten in de lucht. De knopen rolden over het beton en eindelijk kwam hij weer op adem. Penny plofte op de betonnen veranda, waarbij haar jurk zo ver omhoogschoof dat haar onderjurk zichtbaar werd.

Nog steeds werd er niets gezegd. Clark haalde zijn handen van zijn knieën, waar ze al die tijd hadden gelegen. Hij voelde aan zijn lip. Een druppeltje bloed viel van zijn lip op de kraag van zijn overhemd.

'Pa?' fluisterde hij.

Penny stond op. 'Ik zal een glas water voor hem halen,' zei ze.

Clark keek naar de zijkant van zijn vaders gezicht. 'Pa?' fluisterde hij nogmaals.

Wallace schudde zijn hoofd. Met een grote, gulzige hap lucht dwong hij zuurstof door zijn keel en toen stroomden er woorden naar buiten: 'Het is maar een rocheltje, zei ik, gewoon iets wat loszit, er zit iets los in mijn keel.'

Penny kwam met een glas water naar buiten. Op het moment dat ze het aan Wallace gaf, pakte hij haar vingers met zijn andere hand beet. Ze bromde en leunde naar achteren, maar Wallace hield haar vast. Liefdevol en halsstarrig streelde hij haar vingers een voor een voordat hij haar losliet.

De baai ruiste. Met hun tweeën zaten vader en zoon nog altijd voorovergebogen bij te komen van de vechtpartij. Clark bleef strak naar de zijkant van zijn vaders hoofd kijken.

Uiteindelijk nam Wallace het woord. 'O, kijk niet... zo naar me alsof... ik hypocriet ben... omdat ik van haar... vingertjes hou.'

Zijn adem stonk. Clark werd misselijk van de lucht. Uiteindelijk stond hij op, waardoor de stoel omviel, en hij legde zijn hoofd tegen het horrengaas rond de veranda. Daarna gooide hij de deur naar de tuin open en boog zich voorover.

'Gooi het er maar uit,' zei zijn vader.

'Hou je mond,' fluisterde Clark, terwijl hij zijn ogen dichtdeed.

Achter hem zei zijn vader hijgend: 'Wat is er dan nog meer in het leven? Nou? Wat heb je nog meer ontdekt, Clark, mijn pelgrim, mijn... leidsman? Vertel jij me maar eens dat je niet leeft voor het geluid van je vrouw die in een andere kamer haar keel schraapt. Vertel mij maar eens dat

dat niet zo is. Want je weet dat er verder niets is. Je weet dat je de kinderen op school geen ander antwoord kunt geven als ze vragen wat het leven bijeenhoudt. Dan kun je alleen maar denken: liefde. Liefde, wat er verder ook gebeurt. Iemand hebben met wie je kansen verdubbelen. Iemand die je tijdens je tocht over deze moeilijke wereld vergezelt.'

'Toe,' zei Clark, die zich niet omdraaide. 'Niets zeggen, pa. Ik stel voor dat we hier gewoon een poosje blijven zitten. We blijven hier zitten en dan ga ik weg.'

'Nee. Niet doen,' bracht Wallace moeizaam uit. 'Ze is al aan het koken.'

'Ik wil weg.'

'Blijf dan tot na het eten.'

'Nee.'

'Blijf nog even en ga dan weg. Dan laten we het daarbij. Dan laten we verder alles achter ons...'

'Ik wil niet dat je tegen me praat!' schreeuwde Clark, terwijl hij met gebalde vuist op zijn vader af dook.

De oude man kromp ineen, maar vrijwel meteen daarna gleed er een glimlach over zijn gezicht.

'Goed zo,' zei hij. 'Zo mag ik het graag zien.' Hij legde een vergeelde enkel op zijn knie, waardoor de versleten zool van zijn instapper zichtbaar werd. Hij greep de bovenkant van zijn glas beet en liet zijn waterige drankje walsen. Daarna keek hij naar de baai.

'Ik wou dat ik in God geloofde, jongen. Dan kon ik tenminste uitkijken naar... een interessante ontmoeting.' Wallace hoestte en wreef met zijn rug over de stoelleuning. 'Maar

ik denk niet dat hij bestaat. Ik denk dat onze zielen ver-
dampen en zich ontwarren, als miljoenen knopen. Ik denk
dat er na het leven niets meer komt.

Maar lieve jongen, als ik het helemaal mis heb, als er wél
een God bestaat die een hemel runt, dan weet ik zeker dat
je dierbare moeder – en ik weet dat je met heel je hart van
haar hield – daar is en dat ze op haar altviool zit te krassen.
Jij was altijd zo... grootmoedig. Jij keek dwars door alles
heen naar de vrouw die ze had kunnen zijn als het lot zich
niet tegen haar had gekeerd.' Wallace nam een slok van zijn
drankje en zijn ademhaling werd eindelijk rustig.

'Dat musiceren op die altviool.' Hij lachte bij de herinnering. 'Ze kon er niets van, hè? Maar jij klapte. Jij bleef maar
klappen. En misschien wordt ze in de hemel... Misschien...'
Hij keek op naar zijn zoon, en zijn blik was volkomen oprecht. 'Misschien is ze door jouw liefde in de hemel wel
briljant.'

Wallace hief zijn glas op naar de lucht.

'Op jou, lieve schat,' zei hij. 'Op jou.'

# Verdriet

Verdriet is onder lage luchten over lange vlakke wegen rijden.
Verdriet is as. Kermismuziek in de verte. Uitgemergelde katten in de berm. Hij ziet in dat echt verdriet schokkend is.

Maar misschien, denkt hij, later...

Hij rijdt over de lange vlakke weg, onder de lage lucht die op een plank met as lijkt. In de berm trippelt een graatmagere gele kat. Onder het rijden begint hij te huilen. De wielen onder hem bonken: *Weet je nog? Weet je nog? Weet je nog?* Zijn herinneringen pakken zich als een storm in zijn hoofd samen. De lucht verduistert. De wolken pakken zich samen. Ja, Florida – natuurlijk was dat geen vakantie. Grijze stranden en grijze muziek, en spelletjes die geen spelletjes waren. Hij ziet nu in hoe makkelijk hij in het geluk van kleine raampjes, kleine afleidingsmanoeuvres, reepjes blauwe lucht geloofde. En, nog erger, hij ziet in dat je verzetten tegen verdriet dubbel verdriet betekent. Hij zal twee keer moeten huilen. Eén keer om nu en één keer om Florida. Hij zal twee keer over die lange vlakke weg moeten rijden.

Hij rijdt het terrein van een drive-in-restaurant op en buigt zich uit het raampje naar de luidspreker.

'Een koffie,' zegt hij terwijl hij zijn neus aan zijn mouw afveegt. 'Zwart graag.'

*Anders nog iets?* vraagt de stem van een puber.

'Nee,' zegt Clark.

*Dat is dan negentig cent. Rijdt u maar door naar het tweede loket.*

Hij geeft gas en ziet een munttelefoon vlak naast de rij-baan. Hij stuurt er abrupt op af, stapt uit en gooit een paar kwartjes in de gleuf. Als de telefoon overgaat, zet hij zijn kraag op tegen de naderende regenbui.

In hun huis beweegt zij in haar slaap, die heel dik en kle-verig is. Het is geen slaap. Ze wankelt op de grens tussen slaap en iets volstrekt anders. Naast haar ligt het omge-keerde potje van de pillen. Hoeveel zaten erin? Vijf? Twin-tig? Haar gezichtsveld pulseert. Het huis glipt onder haar uit. Ze kijkt neer op het dakloze casco en ziet de trap en het bed, wit als een marmeren lijkbaar. Het voelt alsof ze heel hoog is gesprongen en in de lucht is blijven hangen. Waar ze nu is, is het stil. En koud. Ze kijkt om zich heen – *ruimte.* Niets dan ruimte, uitdijende ruimte. Ze schreeuwt, maar haar stem is zwak. Overal om haar heen proberen de ster-ren haar te prikken. Wat mist ze de grond! Dat doodgewone gele huis waar ze haar leven leidt! Leven en door zand lo-pen. De gulle gaven, kleingeld, brood, postzegels, sinaas-appels en kussen. Ze wil niet dat het voorbij is. Ze wil leven, een vrouw zijn die kan hollen, ruzie kan maken en zich aan van alles kan prikken. Zelfs een vrouw die in de steek kan worden gelaten. Want het was toch de moeite waard? Het was toch niet niks? Terwijl ze de ruimte in zich opzuigt, moet ze een beetje lachen.

Plotseling, ergens onder haar in het duister, het geluid van een telefoon.

*Wacht!* roept ze. *Momentje! Ik kom terug!*

Ze trapt verwoed met haar benen, maar komt geen centimeter dichter bij het huis. De telefoon blijft overgaan, maar ze kan er niet bij. Ze vindt het verbazingwekkend hoe ver weg hij klinkt in deze gedrogeerde doodslethargie. Dan begint de een of andere kracht plotseling de jaloezieën voor haar gezichtsveld te sluiten, het deksel of gordijn dat de ingang verduistert.

*Het is een vergissing!* roept ze. *Ik wil terug!*

Het huis zwaait in het donker heen en weer. De telefoon houdt op met rinkelen. Ze stopt uitgeput met trappen en kijkt neer op de stilte, zweeft met uitgestrekte armen achterwaarts.

Hij hangt op, stapt weer in de auto en rijdt door naar het tweede loket. Het is een winderige, grijze dag, het regent nog niet maar het sputtert wat, en aan de heen en weer bewegende ruitenwissers – *woesj, woesj, woesj* – blijven kleurloze bladeren plakken.

De puber achter het loket schrikt als hij Clark ziet.

'Negentig cent,' zegt hij, en hij tikt aan de klep van zijn pet.

De jongen pakt zijn geld aan en aarzelt even.

'Gaat het, meneer?' vraagt hij dan. 'Hebt u misschien hulp nodig? U ziet er niet zo goed uit.'

'Nee,' zegt Clark terwijl hij de koffie aanpakt. Er kleven tranen aan zijn wangen en zijn mouwen zitten vol snot. 'Het gaat niet echt lekker, dat klopt.' Na die bekentenis lacht hij. 'Maar ik moet verder. Ik moet iets doen.'

'Nou, veel succes dan,' zegt de jongen glimlachend. 'En vrolijk Kerstfeest.'

Hij rijdt weg, de lange vlakke weg weer op. Het gezoem van de wielen op de weg is hypnotiserend. De weg is zo vlak en recht dat hij door de lage lucht lijkt te zijn geplet.

De jongen buigt zich door het loket naar voren en kijkt hem na.

# Regen

Bomen ruisten. Vogels vielen stil. Een wesp zoemde doelloos in een hoek. Aan de hemel vouwden dunne wolken zich open als meisjeshanden. In de verte stak een bries op. Takken kletterden en opeens joeg de wind over de heuvel en over de esdoorns in de voortuin, en de schoorsteenkap op het gele huis aan Quail Hollow Road begon te rammelen.

Ze hoorde de bomen. Ze hoorde de schoorsteenkap. Het huis kraakte in de wind. Daardoor wist ze dat ze het had overleefd. Want welke god zou zo slim zijn om de geluiden van haar leven samen met haar te begraven?

Voorzichtig deed Charlotte een oog open. Ze voelde het even gevoelig trekken omdat er slaap tussen haar oogleden zat. Boven haar was het plafond leeg en kaal. De scheur bleef op zijn plaats en ze voelde de kamer niet draaien of trillen. Ze hield haar adem in, deed haar ogen dicht en streek over de verrukkelijke vlakheid van de lakens. Er was nog nooit zoiets moois geweest als een bed. Er ontsnapte een vreemde kreet aan haar lippen. Ze voelde met haar vingers aan haar tong, die als verdoofd rondkletste in een mond die naar chemicaliën smaakte. Er zat geen gevoel meer in. Ze drukte er met haar vinger op. De tong deed het niet, maar haar vingers wel, en haar hart klopte en ze leefde nog. En als in een droom rook ze opeens geroosterd brood. Zwakjes sloeg ze het bed open en ging rechtop zitten.

'Hoi,' zei Clark.

Charlotte gilde en trok het laken op.

Want hij zat er echt – ontstaan uit het niets, rechtop in het schemerige grijze zonlicht, zijn olijfkleurige huid vochtig en zijn haren verward door de wind en het reizen. Zijn overhemd was vuil en gekreukt, en ze zag zijn hals en zijn borstbeen met elke ademhaling mee bewegen. Hij had een bord op schoot, waarop een geroosterde boterham met jam lag. Ze reikte naar hem, maar trok haar hand weer terug. Met haar vingers op haar lippen staarde ze hem aan.

'Ik zat naar je te kijken toen je sliep,' zei Clark. 'En om de een of andere reden moest ik aan een mop denken. Misschien kan ik je aan het lachen maken. Mag ik hem vertellen?'

Charlotte sloeg haar ogen neer. Toen keek ze met grote ogen op en knikte ze nauwelijks merkbaar.

Hij zuchtte, perste zijn lippen op elkaar en veegde zijn mond af met zijn mouw.

'Oké,' zei hij. 'Twee mannen zitten op een onbewoond eiland. Ze zitten er al jaren, ze eten zeepokken en kokosnoten en hopen dat ze ooit gered worden. Ze wachten tevergeefs, maar op een dag vinden ze een fles met een geest erin. De geest zegt dat ze allebei een wens mogen doen en vraagt aan de eerste man: "Wat wil jij?"'

Hij glimlachte even en draaide zijn hoofd naar de deuropening. "'Jezus," roept die man. "Gered worden, natuurlijk!" Zodra hij de woorden heeft uitgesproken, is hij *poef!* van het eiland verdwenen. De geest zegt tegen de tweede man: "Jij mag ook één wens doen. Wat wil jij?" De tweede man kijkt om zich heen. Hij kijkt naar het eiland en naar de kokospalmen. Hij vindt het vreselijk om in zijn eentje op het eiland te zitten. Hij mist zijn vriend. "Goh," zegt hij tegen de geest. "Ik wou dat mijn vriend hier was."'

Hij keek naar Charlotte en glimlachte verlegen. Daarna vervolgde hij op zachtere toon: 'Ik vind het altijd heerlijk om naar je te kijken als je slaapt. Weet je dat je je lippen een beetje tuit? Volgens mij gaat het regenen. Ik denk dat ik net op tijd binnen ben.' Hij keek over zijn schouder naar buiten en krabde aan zijn nek. Opeens zat hij te schutteren.

Charlotte keek hem aan. Na een paar tellen verschoof ze op het bed. Ze tikte op de plek naast zich.

'Mag dat?' vroeg Clark.

Charlotte knikte. Het bed kraakte toen hij ging zitten. Hij gaf haar het bord met het geroosterde brood en glimlachte.

'Trek?' vroeg hij. 'Tast toe. Vrolijk Kerstfeest, Charlie.'

Ze wilde het bord aanpakken, maar haar handen trilden zo hevig dat ze het niet kon vasthouden. Clark ving het op en keek naar haar.

'Voel je je wel goed?' Hij legde zijn hand op haar voorhoofd en trok hem geschrokken terug. 'Jezus, je bent drijf-nat. Jezus, Charlotte. Ben je ziek? Ik zal het raam open-zetten.'

Hij stommelde naar het raam en zette het open. Er kwam een vlaag wind naar binnen.

'Ik heb je gemist,' zei ze opeens vanuit het bed. 'Ik heb je vreselijk gemist.'

'Wat?' vroeg Clark. 'Ik versta je niet.'

'Ik heb je gemist. Ik hou van je. Al sinds mijn jeugd. Als kind heb ik van je gedroomd,' lachte ze, terwijl ze met haar pols haar ooghoek afveegde. 'Ik heb je gemist, Clark. Jou en dit allemaal. Geroosterd brood. Sinaasappels.'

'Wat?' Clark boog zich naar voren en tikte met zijn hand tegen zijn hoofd. 'Ik kan er geen touw aan vastknopen. Je zinnen lijken één grote brij.' Zijn mond trilde. 'Wat is er met je gebeurd?'

Ze schudde haar hoofd.

'Ik hou van je,' zei ze met een onbeholpen lachje. 'Dat is er gebeurd.'

'Wat?' vroeg hij. 'Kouwadje?'

'Ik hou van je!' Ze lachte.

Hij pakte haar hand. 'Vertel het me straks maar. Ga eerst maar rusten.'

Hij stond op en wreef fronsend in zijn handen. Hij trok de lakens op tot Charlottes kin. Daarna trok hij ze naar be-neden. Hij keek wanhopig om zich heen alsof hij ver-wachtte dat er een behulpzaam iemand uit de muur zou komen. Hij liep met onhandige, grote passen naar de badkamer en zocht gejaagd in het medicijnkastje. Hijgend en met lege handen kwam hij terug naar de slaapkamer.

'Een trui,' zei hij, terwijl hij er een uit haar kast trok. 'Je moet kleren aan, anders vat je kou.'

Ze stak haar armen omhoog en hij trok de trui over haar hoofd. Haar gezicht floepte door de halsopening en keek naar hem op, met zachte, wakkere ogen die hem dringend iets leken te willen vertellen. Hij trok haar haar door de halsopening en streek het glad op haar rug. Met de manchet van haar trui raakte ze de pijnlijke plek op zijn lip aan.

'O, dat.' Hij keek naar beneden. 'Mijn tegenstander is er erger aan toe.'

Hij ging naast haar op het bed zitten, en hun armen raakten elkaar.

De wind viel weg. De windgong verstomde. Alles luisterde.

Clark schraapte zijn keel. 'Het spijt me,' zei hij.

Charlotte draaide zich met open mond naar hem toe. Daarna speelde ze met de manchet van haar trui.

'Het is maar goed dat je niks kunt zeggen,' zei hij.

Ze lachte.

'Het spijt me,' zei hij. 'Het spijt me, Charlotte. Alles. Dat ik ben weggegaan. En ik vind het akelig dat iedereen van alles overkomt. Al die klappen die je moet incasseren. En we merken zelfs nauwelijks... We voelen het niet eens als ze...' Met één hand in de lucht hield hij even op met praten, en hij hapte naar adem. Hij boog zich voorover en opeens knapte er iets in hem. Als een vloedgolf kwamen de enorme spanningen naar buiten. Hij drukte Charlottes hand tegen zijn ogen en bleef even gebogen zitten, ademend tegen haar handpalm.

Op dat moment besefte hij dat de woorden een wachtwoord vormden. Een wachtwoord waarmee hij talloze kamers in kon. Hij sprak ze nog een keer uit, omdat hij dat wilde.

'O, Charlie,' zei hij huilend. 'Het spijt me zo.'

Ze trok hem naar zich toe. In elkaars armen wiegden ze heen en weer.

Eindelijk ging het regenen. Het begon als een zacht getik op alle ruiten in de buurt. Toen brak opeens de hemel open en kwam het water met grote, warme bakken naar beneden. Het stroomde uit de goten en spetterde op de ondergelopen straten. Bladeren en reclamefolders en in plastic verpakte kranten zwommen in diepe plassen, en kerstverlichting knipperde zwakjes door de gordijnen van regen heen.

En buiten, in de tuin, in de stromende regen, stonden Clark en Charlotte Adair. Ze gilden. Ze waren doorweekt. Clark sloeg de kofferbak dicht en liep naar zijn vrouw, die naar hem keek. Er plakten slierten haar aan haar wangen en ze lachte. In de tuin draaide ze rondjes om haar eigen as, in haar nachtpon en haar wijde, los vallende trui. Vanaf het uiteinde van haar stroblonde haar vlogen druppels in het rond.

Clark klapte en keek naar haar.

Ze draaide rondjes. Ze leek wel een meisje op de eerste lentedag. De gestage, warme regen leek wel een allereerste regenbui. Ze kwam wervelend dichterbij tot ze nat en lachend en duizelig tegen hem aan viel. Ze strompelden samen naar de auto en Clark hielp haar instappen. Hij gooide een weekendtas op de achterbank, waar Tecumseh rustig op hen wachtte. De hond snuffelde door het kiertje in het raam en toonde een eerbiedige, maar emotieloze interesse in alles om hem heen – gelach, leven en dood, de geur van mos.

Clark stond stil en tuurde naar het huis. Het huis staarde met een donkere, wazige blik terug. De regen liep in Clarks ogen en eerst wist hij niet of hij het goed zag. Charlotte veegde haar gezicht af met een servetje uit het handschoenenkastje.

'Kijk,' fluisterde hij.

En ze zagen zichzelf – daar was geen twijfel over mogelijk – achter de ramen op de bovenverdieping achter elkaar aan rennen. Het bleekblonde haar wapperde als linten voorbij. De tweede gestalte zette met een deken over zijn hoofd de achtervolging in en strekte zijn armen uit als een monster – een goedaardig, ontsnapt monster op jacht naar alle verrukkelijke menselijke omhelzingen.